Peter Mayle est britannique. Ancien publicitaire, il fuit New York et Londres et s'installe en Provence pour écrire. Après l'immense succès de son premier livre, *Une année en Provence*, Peter Mayle, le plus francophile des Anglais, n'a pas cessé d'écrire.

Dans *Embrouille en Corse*, il poursuit les aventures méditerranéennes de Francis Reboul et Sam Levitt, que le lecteur a rencontrés dans *Embrouille en Provence*.

# Peter Mayle

# EMBROUILLE EN CORSE

ROMAN

*Traduit de l'anglais
par Jean Rosenthal*

NiL

TEXTE INTÉGRAL

TITRE ORIGINAL
*The Corsican Caper*
ÉDITEUR ORIGINAL
Alfred A. Knopf, a division of Random House LLC, New York
© Escargot Productions Ltd, 2014

ISBN 978-2-7578-6060-1
(ISBN 978-2-84111-878-6, 1ʳᵉ édition)

© NiL éditions, 2016, pour la traduction française

*Pour Jennie,*
*comme toujours avec tout mon cœur*

# 1.

Assis au soleil, Francis Reboul contemplait son petit déjeuner : un verre à shooter d'huile d'olive extra-vierge, que les Français recommandent pour faciliter le *transit intestinal*[1], un grand bol de *café crème* accompagné d'un croissant d'une légèreté si exquise qu'il menaçait de s'envoler de sa soucoupe. Reboul profitait de sa terrasse, face à la Méditerranée qui miroitait sans fin jusqu'à l'horizon.

La vie était belle. Sam Levitt et Elena Morales, ses grands amis et jadis partenaires dans diverses aventures, devaient arriver de Californie dans le courant de la journée pour de longues vacances. Ils avaient prévu de faire le tour de la Corse en voilier, puis peut-être de remonter jusqu'à Saint-Tropez, passer quelque temps au haras de Reboul en Camargue avant de retourner dans certains des meilleurs restaurants de Marseille. Ils ne s'étaient pas vus

1. En français dans l'édition originale. *(N.d.T.)*

depuis un an – l'année avait été chargée pour chacun d'entre eux – et avaient une quantité de choses à se raconter.

Reboul reposa son journal, clignant des yeux devant l'éclat du soleil qui se reflétait sur la mer. Il suivit du regard deux petits voiliers qui filaient vers l'archipel du Frioul, et son attention fut attirée par une masse qui commençait à apparaître derrière le cap. De plus en plus visible et de plus en plus grosse. Très grosse même. C'était, comme il le raconterait par la suite à Sam, un yacht gigantesque d'au moins cent mètres de long, à la silhouette effilée d'un bleu très foncé. Il possédait quatre ponts, un radar, l'indispensable hélicoptère posé sur la plateforme arrière, et non pas une mais deux vedettes Riva en remorque.

Le navire passa devant Reboul, à tout au plus trois ou quatre cents mètres de la côte. Il ralentit et finit par s'arrêter. Une rangée de minuscules silhouettes apparut sur le pont supérieur, les regards, sembla-t-il à Reboul, fixés sur lui. Avec les années, il avait fini par s'habituer à être ainsi observé de la mer. Sa propriété, le palais du Pharo, bâti pour Napoléon III, était la plus grande et la plus prestigieuse résidence privée de Marseille. Des plus petits bateaux à voile jusqu'aux bacs lourdement chargés, tous, à un moment ou à un autre, faisaient halte pour contempler à loisir, même de loin, sa résidence. Les longues vues, les jumelles, les caméras – il en avait maintenant pris son parti. Haussant les épaules, il se dissimula derrière son journal.

À bord du yacht, Oleg Vronsky – Oli pour ses amis et autres pique-assiettes, « le Barracuda » pour les journaux financiers du monde entier – se tourna vers Natasha, la sculpturale jeune femme qu'il avait promue au grade de second le temps de la croisière.

— Voilà qui est mieux ! dit-il. Oui, vraiment pas mal.

Il sourit, ce qui fit ressortir la cicatrice livide qu'il avait sur la joue. À ce détail près, il était plutôt bel homme. Malgré sa taille, plus petite que la moyenne, il était svelte, avait d'épais cheveux gris coupés *en brosse*, des yeux bleus de cette nuance glacée qu'on rencontre souvent chez les gens du Grand Nord.

Il avait passé toute la semaine précédente à longer la Côte d'Azur, ne s'arrêtant que pour visiter des propriétés au cap Ferrat, au cap d'Antibes, à Cannes et à Saint-Tropez. Et il avait connu déception sur déception. Il était prêt à dépenser une somme considérable, cinquante millions d'euros ou même davantage, mais n'avait encore rien vu qui lui donne envie de sortir son chéquier. Certes, il avait visité plusieurs belles demeures, mais toutes étaient trop proches les unes des autres. La Riviera était devenue encombrée, voilà où était le problème, or Vronsky cherchait de l'espace et un maximum de tranquillité – et surtout pas de voisins russes. Il y en avait tant aujourd'hui au cap Ferrat que les gens du coin les plus entreprenants apprenaient le russe et s'entraînaient à boire de la vodka.

Vronsky sortit un portable de sa poche et pressa le bouton qui le connectait directement à Katya, son assistante. Elle avait été à ses côtés bien avant les milliards, quand il n'était encore qu'un modeste millionnaire, et faisait maintenant partie des très rares personnes en qui il avait une confiance totale.

— Pouvez-vous demander à Johnny de venir me voir sur le pont supérieur ? Et dites-lui de se préparer à un petit voyage. Au fait, avons-nous reçu une réponse de Londres ?

Vronsky était en pleines négociations pour racheter une équipe de football britannique à un consortium arabe. Les discussions n'étant pas toujours faciles avec ces gens-là, il commençait à s'impatienter. La réponse de Katya le rassura ; il repoussa ses lunettes sur son front, régla ses jumelles et se remit à observer la propriété de Reboul. À n'en pas douter, le cadre était superbe et, d'après ce qu'il pouvait voir, il y avait apparemment assez de terrain autour de la maison pour abriter un discret héliport. Vronsky sentit les prémices de ce qui n'allait pas tarder à devenir une furieuse envie d'acquérir ce domaine.

— Où allons-nous, patron ?

Johnny, un Jamaïquain, gratifia Vronsky d'un grand sourire – une entaille étincelante dans son visage noir d'ébène. Lorsqu'il était mercenaire en Libye, il avait appris à piloter un hélicoptère, une qualité qui venait opportunément s'ajouter à ses autres talents, comme le maniement des armes et la pratique du combat à mains nues. De toute évidence, un homme précieux à avoir à son côté.

— Juste une balade, Johnny. Une petite reconnaissance. Il te faudra un appareil photo et quelqu'un qui sache bien s'en servir.

Vronsky prit le bras du Jamaïquain et l'entraîna vers un coin du pont plus discret.

Reboul trempa dans son café la dernière bouchée de son croissant et leva les yeux de son journal. Le yacht était toujours là. Il aperçut à l'arrière deux silhouettes qui s'affairaient autour de l'hélicoptère avant d'y monter, puis les pales de l'appareil commencèrent à tourner. Il se demanda un instant où ils allaient, et se replongea dans les nouvelles du jour telles que les rapportaient *La Provence*. Pourquoi, alors que la saison était terminée depuis longtemps, les journalistes consacraient-ils tant d'espace aux joueurs de football et à leurs caprices ? Il soupira, reposa le journal et prit le *Financial Times*.

Le bruit arriva soudain, abominable. L'hélicoptère, volant très bas, se dirigeait droit sur lui. Il ralentit, plana au-dessus de la terrasse avant de faire deux fois le tour de la maison et des alentours. Comme l'appareil s'inclinait pour effectuer un virage, Reboul vit le téléobjectif d'un appareil photo pointer par le hublot latéral. C'était inacceptable. Reboul saisit son téléphone et pianota le numéro de son vieil ami, le chef de la police de Marseille.

— Hervé, c'est Francis. Désolé de te déranger, mais je suis harcelé par un dément en hélicoptère. Il vole bas et prend des photos. Tu ne pourrais pas envoyer un Mirage pour le décourager ?

— Que dirais-tu d'un hélicoptère officiel ? fit Hervé en riant. J'envoie tout de suite un de mes gars.

Mais l'intrus, après un dernier plongeon au-dessus de la terrasse, repartait maintenant vers le yacht.

— Laisse tomber, dit Reboul. Il vient de partir.

— As-tu vu son numéro d'immatriculation ?

— Non, j'étais trop occupé à baisser la tête pour l'éviter. Mais il retourne à présent vers le yacht en face de la pointe du Pharo, qui a l'air de se diriger vers le Vieux-Port. C'est un grand machin bleu foncé, de la taille d'un *paquebot*.

— On ne devrait pas avoir trop de mal à le trouver. Je vais me renseigner et je te rappelle.

— Merci, Hervé. À notre prochain déjeuner, c'est moi qui t'invite.

Katya brancha l'appareil photo sur son ordinateur, et Vronsky se pencha sur son épaule pour regarder la première image. Comme beaucoup d'hommes riches et puissants, les détails de la technologie moderne restaient pour lui enveloppés de mystère.

— Voilà, lui dit-elle, vous n'avez qu'à appuyer sur ce bouton pour passer à l'image suivante.

En silence, Vronsky contempla l'écran sur lequel les vues de la propriété se succédaient. Il découvrit les proportions parfaites de l'architecture, le tracé impeccable des jardins, l'absence de voisins proches, et se mit à hocher la tête d'un air pensif. Il se rassit enfin en souriant à Katya.

— Trouvez-moi à qui appartient cette maison. Je la veux.

## 2.

— Reboul ne voudra jamais vendre. De Marseille à Menton, tout le monde sait qu'il adore sa propriété. Et il n'a pas besoin d'argent. *Désolé.*

L'homme qui s'adressait à Vronsky haussa les épaules et alluma une cigarette avec un briquet en or.

Ils se trouvaient tous deux sur le pont supérieur du *Caspian Queen* qui, ancré un peu au large dans la baie de Cannes, était parfaitement placé pour profiter des lumières scintillantes de la Croisette et du Festival. Vronsky avait souhaité se présenter au beau monde cannois en donnant à bord une réception – organisée par sa société de relations publiques – et aucune invitation n'avait été déclinée. On trouvait donc rassemblée ici la foule habituelle qu'on rencontre au cours d'une soirée de Festival : des femmes minces et un peu trop bronzées, des hommes corpulents, dont la pâleur révélait de trop longs séjours dans la pénombre des salles de projection, des starlettes et des aspirantes starlettes, des journalistes, ainsi qu'un ou deux officiels du Festival, pour ajouter une touche de couleur locale. Et puis, naturellement, le gentleman à la veste de smoking blanche, en discrète conversation avec Vronsky.

C'était, lui avait-on affirmé, l'agent immobilier le plus efficace de la Côte, avec les meilleurs contacts. On l'appelait autrefois Vincent Schwartz mais, pour des raisons professionnelles, il avait changé ce patronyme pour celui de vicomte de Pertuis – un titre de son invention – et, en vingt ans passés comme aristocrate autoproclamé, il avait acquis une position inexpugnable sur le marché immobilier de la Riviera.

Vronsky, il devait en convenir, représentait pour lui un véritable défi. L'homme s'était révélé jusqu'à maintenant un client difficile, très exigeant, qui avait déjà fait la fine bouche devant bien des propriétés, de Monaco à Saint-Tropez. Cependant, encouragé par la perspective de sa commission d'agent – un généreux cinq pour cent –, Pertuis avait persévéré. Et voilà maintenant que son client – le vicomte dissimulait soigneusement son agacement – avait trouvé la propriété de ses rêves, tout seul et sans le concours d'aucun professionnel.

Ce genre de circonstances exigeait de l'agent une finesse hors pair. Il ne pouvait guère s'attendre à toucher cinq pour cent pour seulement superviser la transaction. Il lui faudrait trouver des difficultés imprévues, créer des problèmes – lesquels ne pourraient être résolus que par quelqu'un ayant son expérience et ses talents de négociateur. C'était une méthode qui, à plusieurs reprises dans le passé, avait donné de bons résultats, et qui avait provoqué sa réaction quand Vronsky l'avait interrogé à propos du Pharo.

— Comment savez-vous qu'il n'a pas besoin d'argent ? avait demandé Vronsky.

À son avis, il n'existait aucun homme au monde qu'on ne puisse acheter si on y mettait le prix.

— Ah, dit le vicomte, en baissant la voix. Dans ma profession, on a besoin avant tout d'informations exactes et, plus elles sont d'ordre privé, plus elles sont précieuses. (Il marqua une pause, hochant la tête comme pour approuver ses propos.) J'ai passé bien des années à soigner mes sources. En fait, la plupart des propriétés dont je m'occupe n'apparaissent jamais sur le marché. Un mot ou deux glissés dans l'oreille qu'il faut, et la vente est conclue dans la discrétion la plus totale. C'est ce que préfèrent mes clients.

— Et vous êtes convaincu que le propriétaire ne voudra jamais vendre ?

Nouveau hochement de tête.

— Faute de renseignements plus précis, c'est mon opinion.

— Et comment nous procurer ces informations ?

C'était la question qu'espérait le vicomte.

— Toute enquête devra être menée avec la plus grande délicatesse, dans l'idéal par quelqu'un d'expérimenté. Les propriétaires de villas luxueuses ne sont jamais francs du collier, ils sont au contraire souvent secrets, parfois même malhonnêtes. Il faut une personne qui ait un œil avisé et du flair pour parvenir à la vérité.

C'était la réponse à laquelle Vronsky s'attendait.

— Quelqu'un comme vous, peut-être ?

Le vicomte agita modestement la main.

— Ce serait un honneur.

Ainsi fut-il décidé que le vicomte allait enquêter et recueillir pour Vronsky des informations sur le Pharo et son propriétaire, après quoi ils pourraient tous les deux mettre au point un plan d'action. Cette question réglée, ils allèrent retrouver les invités sur le pont principal ; Vronsky reprit son rôle d'hôte et le vicomte poursuivit ses efforts pour convaincre un producteur de cinéma de Hollywood un peu éméché d'acheter un charmant petit appartement avec terrasse à Cannes.

À cent cinquante kilomètres de là sur la Côte se tenait une autre réception, bien plus modeste, pour accueillir Elena et Sam qui venaient d'arriver après deux jours passés à Paris. Le Pharo serait leur base pour les trois semaines à venir, et Reboul avait invité quelques personnes qu'ils avaient rencontrées lors de leur précédent séjour à Marseille : le journaliste Philippe Davin et Mimi, sa petite amie à la chevelure flamboyante ; la redoutable Daphne Perkins, cette fois sans l'uniforme d'infirmière qu'elle avait endossé avec tant de brio pour faire échouer un kidnapping ; ainsi que les frères Figatelli, aux relations fort précieuses, qui étaient venus de Corse pour la soirée.

Une fois respecté le rituel des poignées de main et des embrassades saluant ces retrouvailles, on commença à évoquer des souvenirs. Daphne, une flûte de champagne à la main et le petit doigt élégamment relevé, écoutait Jo lui raconter les dernières nouvelles du milieu corse. Profitant d'un blanc dans la conversation, elle demanda :

— Qu'est donc devenu cet horrible personnage ?

Tout le monde savait qu'elle faisait allusion à Lord Wapping, la richissime canaille qui avait presque réussi à faire enlever Elena pour triompher de Reboul dans une affaire[1]. Daphne se tourna vers Philippe.

— Je suis sûre que vous avez suivi cette histoire de près. Est-il enfin en prison ? Est-ce trop ambitieux d'espérer une condamnation à perpétuité ?

— Il n'en est pas encore là, dit Philippe. Il a eu recours au système habituel de défense des criminels de guerre serbes : une grave maladie l'a soudain frappé, empêchant tout interrogatoire poussé. Il se terre toujours dans une clinique de Marseille où il fait de son mieux pour avoir l'air mourant. On dit qu'il soudoie un des médecins. Mais on finira bien par l'avoir.

Elena frissonna en se rappelant cet épisode, et Sam la prit par la taille.

— Ne t'inquiète pas, chérie. Voilà un type que nous ne reverrons plus jamais.

Tous retrouvèrent leur bonne humeur grâce à Mimi, flanquée d'un Philippe à l'air un peu penaud.

— Regarde, dit-elle à Elena, il va faire de moi une honnête femme.

En riant, elle tendit sa main gauche pour montrer sa bague de fiançailles, ce qui déclencha aussitôt un déferlement de félicitations et d'embrassades. Reboul porta un toast, Sam en

---

1. Référence au précédent roman de Peter Mayle, *Embrouille en Provence* (NiL éditions, 2013). *(N.d.T.)*

fit autant. Chacun des frères Figatelli, également, si bien qu'une vague de champagne les porta jusqu'à la table du dîner.

Dès qu'ils furent assis, Reboul tapota son verre pour réclamer le silence.

— Bienvenue, mes amis, bienvenue à Marseille. C'est vraiment un plaisir de vous voir tous, et cette fois dans une ambiance plus détendue. (Son regard parcourant l'assemblée, il salua de la tête les visages souriants avant de prendre un air grave.) Passons maintenant aux choses sérieuses. Le dîner, ce soir, est simple, mais des arrangements sont toujours envisageables pour tous ceux qui sont allergiques au *foie gras*, au carré d'agneau de Sisteron assaisonné au romarin, aux fromages de chèvre frais et à la *tarte Tatin*. *Bon appétit* !

Là-dessus, Claudine, la gouvernante de Reboul, entra avec Nanou, la domestique martiniquaise, et commença le service.

Les mets étaient trop succulents pour qu'on ne prenne pas son temps à les savourer, tout comme les vins, la conversation et, pour finir, les tendres adieux. Lorsque Elena et Sam montèrent l'escalier pour regagner leur suite au dernier étage, il était près de deux heures du matin.

Alors qu'Elena s'affairait dans le dressing, Sam s'attarda devant la grande baie vitrée d'où on voyait de multiples lumières scintiller sur les eaux du Vieux-Port. Il se demanda, non pas pour la première fois, ce qui pouvait inciter des adultes autrement sains d'esprit à s'entasser dans ces minuscules embarcations pour faire face à toutes sortes d'inconforts et aux dangers potentiels d'une mer aux caprices aussi périlleux qu'imprévisibles. Le goût de l'aventure ? Le désir d'échapper aux soucis de l'existence ? Ou bien ne s'agissait-il que d'une forme raffinée de masochisme ?

Ses méditations furent interrompues par la réapparition d'Elena, les bras chargés de paquets raffinés, qui renfermaient à coup sûr un contenu encore plus luxueux.

— Je voulais te montrer, dit-elle, ce que j'ai acheté à Paris pendant que tu passais des heures chez Charvet à choisir des chemises avec ton vendeur.

Elle étala avec soin sur le lit un assortiment de sous-vêtements qui aurait suffi à approvisionner une petite boutique : ils étaient évidemment en soie, certains noirs, d'autres d'un bleu lavande très pâle, tous donnant l'impression qu'ils s'envoleraient à la moindre brise.

— Ils viennent de cet extraordinaire petit magasin de la rue des Saints-Pères, Sabbia Rosa, que Mimi appelle un confectionneur pour dames.

Elle fit un pas en arrière et sourit à Sam en penchant la tête.

— Qu'est-ce que tu en penses ?

Sam passa les doigts sur la fine soie d'un article aux dimensions si réduites qu'il crut un instant tenir une pochette. Il secoua la tête.

— Je ne sais pas, dit-il. Je crois que j'ai besoin de les voir sur toi pour être certain qu'ils te vont.

— Bien sûr, dit Elena en ramassant son butin étalé sur le lit. (Elle se dirigea vers le dressing et lui fit un clin d'œil en sortant.) Ne t'en va pas, surtout.

# 3.

D'après Claudine, la lettre avait été déposée en mains propres ce matin-là par un monsieur très bien habillé venu en Mercedes. Il n'avait pas laissé de nom.

Reboul ouvrit l'enveloppe dont l'intérieur était doublé de papier de soie couleur chocolat, et en retira une simple feuille d'un beige chamois. En guise d'adresse sur le coin du haut, un en-tête discrètement gravé annonçait que l'expéditeur était le vicomte de Pertuis. Le message était bref et précis :

*Je vous serais infiniment reconnaissant de m'accorder quelques minutes pour discuter d'une affaire susceptible d'être, pour vous comme pour moi, intéressante et profitable. Je reste à votre disposition pour convenir d'une heure et d'un lieu où nous rencontrer. Veuillez me téléphoner au numéro ci-dessous pour fixer un rendez-vous.*

Un seul mot en guise de signature : *Pertuis.* À travers les années, Reboul avait reçu, comme la plupart des hommes riches, d'innombrables sollicitations de gens lui proposant d'accroître sa fortune par des procédés plus ou moins louches. Certains étaient amusants, d'autres surprenaient par l'imagination dont on pouvait faire preuve quand il s'agissait d'investir son argent. Cette fois, il fut particulièrement intrigué. Peut-être était-ce le titre qui l'impressionnait. Dieu sait pourtant que l'aristocratie était devenue totalement vénale de nos jours. Mais on ne savait jamais. Cela méritait peut-être d'y consacrer quelques minutes. Il décrocha son téléphone et composa le numéro.

— Pertuis.

— Reboul.

Le ton de la voix changea aussitôt pour se faire onctueux.

— Monsieur Reboul, comme c'est aimable à vous de m'appeler. Je suis ravi de vous entendre.

— J'ai bien reçu votre message. Si cela vous convient, je suis libre cet après-midi vers trois heures. Je crois que vous savez où j'habite.

— Bien sûr, bien sûr. Trois heures, donc. Je me fais un plaisir de vous rencontrer.

Elena et Sam passèrent la matinée à jouer les touristes. Bien des choses avaient changé à Marseille depuis 2013, année où la ville s'était vue proclamée capitale européenne de la culture. Elena, toujours friande d'informations touristiques, avait tout suivi, de l'aménagement des docks jadis délabrés de la Joliette jusqu'au « Château de ma mère » de Marcel Pagnol, devenu la Maison des cinématographies de la Méditerranée. De nouveaux musées, de nombreux sites d'expositions, des jardins avaient été créés, ainsi que l'élégante Ombrière du Vieux-Port, qui protégeait maintenant les flâneurs du marché aux poissons des caprices des éléments, à défaut du langage vulgaire qu'on y pratiquait. Bref, assez de nouveautés pour occuper un mois durant les touristes les plus alertes.

Sam s'épuisait à soutenir le train d'Elena. Et contemplait avec une envie grandissante les cafés qu'ils croisaient sur leur passage jusqu'au moment où il ne put se maîtriser plus longtemps.

— Déjeuner, dit-il d'un ton déterminé. C'est l'heure de déjeuner.

Il héla un taxi, y embarqua Elena et demanda au chauffeur de les conduire au vallon des Auffes, à côté de la Corniche. Elena rangea ses notes de voyage dans son sac en poussant un long soupir théâtral.

— Encore une fois, la gloutonnerie l'emporte sur la culture, et juste au moment où je m'amusais, dit-elle. Où va-t-on ?

— Un petit port avec deux restaurants formidables, *Chez Fonfon* et *Chez Jeannot*. C'est

Philippe qui m'en a parlé : Jeannot pour ses *moules farcies*, Fonfon pour sa *bouillabaisse*.

Elena inspecta son T-shirt bleu pâle et sa jupe en lin crème.

— Je ne suis pas habillée pour une *bouillabaisse*. Que dirais-tu de moules ?

Le vallon des Auffes est une crique minuscule, trop petite pour accueillir autre chose que les bateaux les plus modestes. Et la terrasse de *Chez Jeannot* dispose, à n'en pas douter, de la meilleure vue pour apprécier le panorama miniature et extrêmement pittoresque.

Elena se cala dans son fauteuil et constata avec un petit soupir de satisfaction :

— C'est charmant ici. Au fond, tu avais peut-être raison.

— Mille pardons. Ça ne se renouvellera pas.

Et, sans laisser à Elena l'occasion de hausser les sourcils – sa réaction habituelle aux tentatives de Sam pour se moquer d'elle –, il se plongea dans la carte des vins.

— Voyons, voyons… un petit rosé un peu nerveux ? Ou un blanc parfaitement équilibré, avec juste un brin d'impertinence, des vignobles de Cassis ?

Avec le temps, Elena s'était habituée à voir Sam jouer les gastronomes dès l'instant où il mettait les pieds en France.

— Crois-tu qu'ils servent des frites avec les moules ?

— Des *pommes frites*, chérie, des *pommes frites*.

— Sam, tu es un dictionnaire vivant. C'est fatigant.

— Fatigant ? Je meurs de faim, j'ai mal aux pieds mais, à part ça, je suis le charme et la bonne humeur incarnés. Maintenant, que choisis-tu ? Rosé ou blanc ?

Quand le rosé arriva, Sam leva son verre en direction d'Elena.

— À nos vacances. Qu'est-ce que ça te fait de te retrouver ici ?

Elena but une gorgée de vin qu'elle garda un moment dans sa bouche avant d'avaler.

— Ça fait du bien. Non… c'est mieux que cela. C'est divin. La Provence me manquait. Et je sais combien toi aussi, tu aimes ce pays. (Elle ôta ses lunettes de soleil et se pencha en avant, l'air soudain songeur.) Et si on trouvait une petite maison par ici ? Tu sais, juste pour l'été. Un endroit où tu pourrais vivre en espadrilles.

Sam haussa les sourcils.

— Ça ne te manquerait pas, l'été à L.A., quand la pollution est à son maximum ?

— Je pense que je le supporterais. Sam, je parle sérieusement.

— Alors, c'est réglé, fit-il en souriant devant la réaction stupéfaite d'Elena. (Il leva encore une fois son verre.) Pas de problème. J'allais d'ailleurs te suggérer la même chose. Je pourrais apprendre à jouer à la pétanque. Et toi à faire la cuisine.

31

Elena n'eut pas le temps de trouver la réplique cinglante qu'elle aurait voulu lancer, car on leur servit les moules, assaisonnées aux herbes, à l'ail et, à en croire le serveur, *beaucoup d'amour*, et les frites, plongées deux fois dans l'huile pour qu'elles soient craquantes à l'extérieur et fondantes à l'intérieur. Le repas s'accompagna d'une discussion animée à propos d'une maison en Provence : on pesa les mérites et les inconvénients de la campagne, d'une maison de village dans le Luberon ou d'un appartement à Marseille. Au café, ils avaient cependant décidé de contacter deux ou trois agents immobiliers. Quand l'addition arriva, Elena insista pour payer, car elle comptait l'encadrer en souvenir du jour où ils avaient pris leur décision.

Lorsqu'ils revinrent au Pharo en fin d'après-midi, ils trouvèrent Reboul fou de rage. Il avait reçu la visite, leur raconta-t-il, de quelqu'un qu'il décrivit comme un vendeur de voitures d'occasion qui se faisait passer pour un vicomte et qui lui avait annoncé avoir trouvé un très riche acquéreur pour le Pharo, « un homme aux poches bien pleines ». « La propriété n'est pas à vendre, avait déclaré Reboul. – Pas pour cinquante millions d'euros ? – Vous ne comprenez donc pas ? Elle n'est pas à vendre. – Mais tout le monde sait bien qu'il y a un prix pour tout, avait insisté le vicomte. Et je pourrais persuader mon client de fouiller encore plus profondément dans ses poches. »

— C'est à ce moment-là que je l'ai mis dehors, conclut Reboul. « Il y a un prix pour tout. » *Quel culot* !

— Eh bien, remarqua Sam, voilà un agent immobilier que nous pouvons rayer de notre liste.

Reboul s'immobilisa, tire-bouchon en main.

— Que veux-tu dire ?

— Nous avons pris une décision au déjeuner. Nous allons essayer d'acheter un petit quelque chose par ici.

Le visage de Reboul s'éclaira.

— Vraiment ? Quelle bonne idée. Ça s'arrose. (Il posa le tire-bouchon pour s'attaquer à une bouteille de chassagne-montrachet.) C'est la meilleure nouvelle que j'aie reçue depuis des semaines. Où voulez-vous vous installer ? Que puis-je faire pour vous aider ?

Il faut le reconnaître, le vicomte avait de la ressource. Il s'était heurté bien des fois à des protestations de ce genre, qui, la plupart du temps, s'envolaient dès lors que celui qui les proférait se trouvait confronté à un chèque suffisamment impressionnant. Aussi, lorsqu'il fit son rapport à Vronsky à bord du *Caspian Queen*, il parvint à faire montre d'un optimisme prudent.

— Évidemment, il a déclaré qu'il n'avait aucune intention de vendre le Pharo. Ils disent toujours ça pour commencer : c'est un vieux truc pour faire monter le prix que j'ai entendu des douzaines de fois. (Le vicomte sourit tout en remerciant d'un signe de tête le maître d'hôtel de Vronsky qui venait de poser devant lui une coupe de champagne.) J'ai constaté que le mieux est de les laisser réfléchir une semaine ou deux avant de reprendre contact. Vous ne comptez pas repartir pour une autre escale, j'espère ?

Vronsky secoua la tête.

— Je n'aime pas laisser une affaire en suspens. Cette propriété est parfaite pour moi et je ne quitterai pas Marseille avant de l'avoir.

# 4.

Influencée par Reboul, Elena avait convaincu Sam d'oublier son horreur pour tout ce qui flotte et de partir en croisière autour de la Corse. Le bateau de Reboul, comme ce dernier avait pris la peine d'expliquer à Sam, avait plus été construit pour le confort que pour la vitesse, et – son argument ultime –, il avait promis qu'ils ne perdraient jamais de vue la côte. D'ailleurs, à en croire Reboul, la meilleure façon de découvrir la Corse était d'en faire le tour en bateau. La plupart des plus belles criques étaient inaccessibles en voiture et désertes à cette période de l'année. Et, avait rajouté Elena, c'était formidable pour une femme d'avoir une plage pour elle toute seule. Elle y était tout à fait dans son élément : pieds nus, l'œil clair, la peau couleur miel foncé et d'une humeur angélique, elle affichait un plaisir contagieux. Comment Sam aurait-il pu résister ? Même si c'était un terrien confirmé, il devait reconnaître que la navigation avait de bons côtés.

Ils avaient mouillé pour la nuit dans le port de Calvi, sur laquelle la masse de la citadelle veillait depuis six cents ans. Ils avaient dîné dans un restaurant à deux pas du quai et s'étaient régalés d'une belle *daurade royale*, poisson considéré par ses admirateurs comme « le play-boy de la Méditerranée ». Cuite dans une croûte de sel, la daurade avait été servie avec un aïoli bien relevé. Pour finir, ils avaient dégusté du *brocciu*, le fromage local crémeux qu'il convenait de savourer avec une généreuse portion de confiture de figues. Repus et un peu somnolents, ils avaient à présent regagné le bateau, leur peau picotant après une journée passée au soleil.

Reboul avait abandonné Elena et Sam sur le pont, affalés dans leur transat à regarder les étoiles. Il reparut avec une bouteille et trois verres.

— Il faut terminer comme les Corses, dit-il, avec le coup de l'étrier, un dernier verre qui nous fera dormir comme des bébés.

Il posa sur la table une bouteille qui semblait très éloignée des digestifs habituels, si souvent ornés de multiples extravagances. Pas d'étiquette imprimée ni de bouchon décoré. Seule une sorte de vignette collée de guingois sur laquelle figurait un mot écrit à la main : « Myrte ». Il y avait bien un bouchon – noirci par l'âge et ayant probablement déjà servi sur d'autres bouteilles. Rien de très raffiné dans tout cela.

Reboul disposa les verres et commença à servir.

— Préparé par le fermier qui vit à côté de chez ma tante, à Speloncato. Ce sont des baies de myrte macérées dans un mélange d'eau-de-vie et de sucre, avec un rien de citron et deux ou trois clous de girofle, conclut-il en faisant glisser deux verres sur la table.

Elena but une petite gorgée, puis recommença.

— Ah oui, fit-elle en s'efforçant de prendre sa voix de dégustatrice chevronnée, je crois déceler en effet un soupçon de girofle.

Elle regarda Reboul en souriant.

— Je pourrais facilement y prendre goût. C'est exquis… doux, avec un petit arrière-goût poivré. Crois-tu que le fermier de ta tante pourrait m'en faire un peu ?

Le lendemain matin, ils partirent vers le sud. Reboul voulait leur faire voir Girolata, un village uniquement accessible par la mer ou par un chemin de muletiers. C'était là que son vieil ami Sébastien passait ses étés depuis qu'il était à la retraite. Pour se distraire, il avait ouvert un bar sur la plage, engagé une jolie fille du pays comme barmaid et il assurait lui-même les modestes responsabilités de chef. Comme il ne proposait au menu qu'un plat

– la *langouste* locale –, son travail en cuisine lui laissait tout le loisir de s'adonner à son passe-temps favori, s'asseoir au soleil.

Il les accueillit les pieds dans l'eau lorsqu'ils abordèrent. Vigoureux, tanné par le soleil, il avait un visage sillonné de rides, éclairé par un grand sourire. Il étreignit Reboul, baisa la main d'Elena, serra celle de Sam et leur fit traverser la plage jusqu'à un petit cabanon devant lequel des tables et des chaises étaient disposées sous des parasols de toile fanée. Sur un panneau, au-dessus du comptoir, figuraient les mots LE CAC QUARANTE et, en caractères plus petits, *Les chèques ne sont pas acceptés*.

— Le Cac Quarante… un drôle de nom pour un bar, observa Elena. C'est une spécialité corse ?

— Pas vraiment, dit Reboul en souriant. C'est l'équivalent français du Dow Jones – la valeur des principales actions cotées en Bourse.

C'est là que travaillait Sébastien auparavant.

Ils s'installaient à une table et commençaient à étudier la liste des vins rédigée à la main au dos d'une carte postale quand le portable de Reboul se mit à sonner. Il quitta la table et se dirigea vers la plage pour prendre la communication. Quand il revint, il avait l'air furieux.

— C'était Claudine. L'agent immobilier a débarqué en hélicoptère avec Vronsky, ce timbré de Russe. Ils ont raconté à Claudine que je les avais autorisés à visiter la maison. Pendant qu'elle me parlait, ils ont filé voir la salle de séjour. Je lui ai donc dit d'appeler immédiatement la police pour les mettre à la porte. Ces gens sont vraiment incroyables, fit-il en secouant la tête.

Sam sortit une bouteille du seau à glace et en versa le contenu dans un verre.

— Ça te fera du bien. C'est du Canarelli, le *rosé* préféré de Sébastien.

En effet, une longue lampée parut avoir sur Reboul un effet apaisant.

— Dis-moi, Sam, que se passerait-il en Amérique si quelqu'un faisait ça ?

— Ma foi, répondit Sam, tu dois te rappeler qu'aux États-Unis, dans une maison digne de ce nom, on a toujours une arme. Alors, je pense qu'on lui tirerait dessus. En général, ça marche.

Reboul sourit, il avait retrouvé sa bonne humeur.

— Il faudra que je m'en souvienne.

Les *langoustes* étaient fraîchement pêchées, fermes et onctueuses, et servies avec une mayonnaise faite avec des jaunes d'œuf et de l'huile d'olive corse extra-vierge, si bien montée qu'il aurait presque fallu un couteau pour s'en servir. Ils commandèrent sans tarder une seconde bouteille de vin et se mirent à parler du projet d'Elena et de Sam d'acheter une maison en Provence, « rien de somptueux mais un endroit avec *beaucoup de charme* », précisa-t-elle.

— Je crois que je dois vous prévenir, dit Reboul : on apprend dès le berceau à tous les agents immobiliers de Provence ces trois mots-là. Le charme, c'est la grande excuse pour des pièces sombres, des fenêtres minuscules, des plafonds bas, une plomberie peu fiable, des rats dans la cave, des chauves-souris dans la chambre et tout ce qu'on est en droit de considérer comme un inconvénient. Si la propriété est prête à tomber en ruine, elle a « *un charme fou* ». Et, si cela ne suffit pas, elle aura aussi d'« *énormes possibilités* ». Vous verrez, il y a tout un vocabulaire. (Il s'interrompit pour boire une gorgée de vin.) En tout cas, quand nous rentrerons, je vous trouverai les noms de deux ou trois personnes à contacter.

Trois journées ensoleillées plus tard, ils étaient de retour. Pour eux, l'escapade avait été brève, magique, en marge des aléas de la vie réelle et les avait laissés rayonnants de bienveillance pour le reste du monde. Ce qui, évidemment, ne pouvait pas durer.

La vie réelle était toujours là.

Elena, qui avait abandonné au Pharo tout outil de communication avec le bureau, alluma son BlackBerry pour découvrir une douzaine de messages envoyés par des clients qu'elle avait bienheureusement oubliés. Sam, en homme bien trop occupé à profiter de la vie pour penser à la mort, trouva une lettre extrêmement ferme de son avocat qui se disait très préoccupé par son obstination à ne pas rédiger de testament. Et Reboul, malgré lui, avait vu ses pensées accaparées par Vronsky ; pensées qui étaient d'ailleurs davantage des questions. Lorsqu'un homme montre un intérêt si marqué pour votre domicile, il est bien naturel de vouloir en savoir plus sur son compte.

Heureusement pour Reboul, il y avait Hervé, le directeur de la police de Marseille, qu'il avait contacté récemment à propos de l'hélicoptère de Vronsky. Comme Reboul avait eu à plusieurs reprises l'occasion de le constater dans le passé, Hervé possédait des tentacules pour lesquelles rien ne semblait hors d'atteinte : le milieu, le Gouvernement, Interpol et même la vie secrète de la chambre de commerce locale. Les deux hommes se rencontraient pour déjeuner trois ou quatre fois par an afin d'échanger des renseignements et se rendre divers petits services, un arrangement qui leur convenait à tous les deux.

— Eh bien, *mon vieux*, dit Hervé, qu'est-ce que tu as encore fait ? Des contraventions ? Voies de fait sur un homme politique ? Surpris encore une fois à pincer les fesses des filles ?

En entendant son rire à l'autre bout du fil, Reboul imaginait le visage d'Hervé – rond et éclairé d'un joyeux sourire, un masque trompeur derrière lequel se dissimulait le commissaire sévère et déterminé que Reboul connaissait bien.

— J'ai besoin de quelques informations. Tu te souviens de cette histoire d'hélicoptère ? Eh bien, le type qui a organisé ça est encore venu fouiner chez moi. Pendant que j'étais absent, il s'est payé une visite guidée de la maison. J'aimerais en savoir un peu plus sur le compte d'un dénommé Vronsky. Il est russe et il est riche. Très riche.

— Laisse-moi voir ce que je peux trouver. Les milliardaires russes en Europe ne sont pas très difficiles à repérer. Je vais essayer d'avoir des informations pour toi d'ici deux jours. En attendant, ne bouge pas, *d'accord* ?

# 5.

La pétarade d'une moto vint troubler le calme de ce début de soirée au Pharo – l'heure de l'apéritif. L'homme qui la conduisait, un robuste policier aux bottes soigneusement astiquées, gara précautionneusement sa machine, retira son casque pour le poser sur la selle, pressa la sonnette de la porte d'entrée et attendit au garde-à-vous. On lui avait dit qu'il s'agissait d'un pli très important, adressé par le patron lui-même, et qu'il fallait respecter tous les raffinements de la politesse.

Claudine ouvrit la porte. Le policier la salua.

— Pour M. Reboul, dit-il en lui tendant une enveloppe en papier kraft.

— *Merci, monsieur.*

— *De rien, madame. Bonne soirée.*

Sa mission accomplie, il salua une nouvelle fois avant de redescendre bruyamment l'allée.

Claudine apporta aussitôt le pli à Reboul qui l'ouvrit et en retira trois feuilles de papier. La première était une note manuscrite de la main d'Hervé.

*Mon cher ami,*

*Je prends la précaution de recourir à cette façon un peu démodée de communiquer. Comme tu le sais, plus rien d'électronique ne reste de nos jours complètement privé, et je préfère que ceci ne se retrouve pas sur Internet.*

*Tu le verras, M. Vronsky a eu une carrière intéressante. Ce qui me frappe, c'est le taux de mortalité élevé qu'on observe chez ses associés. Bien qu'on n'ait rien pu prouver, je ne crois pas aux coïncidences et je considère ces décès comme une sérieuse mise en garde. Je te recommande de n'avoir rien à faire avec cet homme. Il me semble extrêmement dangereux.*

*Amitiés,*
*H*

Reboul se versa par précaution un verre de scotch et passa aux deux autres pages, dactylographiées.

VRONSKY, Oleg. Né à Saint-Pétersbourg le 4 janvier 1970. Aucune trace de scolarité.

De 1989 à 1992, il a servi dans l'armée, d'abord comme simple soldat, puis comme sergent commandant un groupe de chars. De retour à la vie civile, avec un ami de l'armée, Vladimir Pougatchev, il s'est installé comme marchand d'armes en utilisant ses relations militaires, d'abord dans les Balkans, puis, les affaires se portant bien, en Afrique de l'Ouest. Leur commerce a continué de prospérer, mais Pougatchev a trouvé la mort dans des circonstances inexpliquées au cours d'un voyage d'affaires à Ouagadougou. Ses parts de la société sont alors revenues à Vronsky. Les rumeurs d'acte criminel ont aussitôt fait l'objet de vigoureuses dénégations.

Le succès de Vronsky ne s'est pas démenti. Après avoir vendu sa filiale africaine à Marlon Batumbe, un dictateur plein d'avenir, il est rentré en Russie pour fonder la PRN (Prirodni Resurci Neogranichenyi – en russe, Compagnie de ressources naturelles), une société créée pour exploiter les gisements minéraux découverts dans le sud de l'Oural. Ont suivi quelques années très lucratives, qui ont permis à Vronsky de passer un accord avec une entreprise nettement plus importante, possédée par un certain Sergei Popov. La fusion s'était faite depuis moins de deux ans quand Popov a trouvé la mort dans des circonstances inexpliquées alors qu'il participait à un séminaire sur la bauxite à Magnitogorsk. Ses parts sont revenues à Vronsky. Les rumeurs d'acte criminel ont aussitôt fait l'objet de vigoureuses dénégations.

De plus en plus riche, influent et puissant, Vronsky a vu son empire s'étendre et se diversifier, avec des branches dans l'Arctique et le bassin amazonien. Il y a eu également un immeuble à New York, sur Park Avenue, acquis en copropriété avec le promoteur immobilier Jack Levy. De l'avis unanime, le suicide de Jack Levy – il s'est jeté d'une terrasse du trente-huitième étage – a été une perte immense pour la communauté. Mais un gain substantiel pour Vronsky qui a repris les parts de Levy dans l'immeuble.

Vronsky ne semble pas posséder d'adresse fixe : il préfère utiliser comme siège social son yacht, le

*Caspian Queen*. Lorsqu'il voyage, il descend dans des hôtels. On sait peu de choses sur sa vie personnelle. Un ou deux détails ont pourtant émergé : on l'a vu avec une grande variété de très belles femmes, et son unique mariage s'est soldé par un divorce. Il n'a pas d'enfants. On lui connaît comme distractions favorites la chasse à l'ours, les échecs et la danse de salon.

— Tu as l'air bien songeur, Francis, dit Sam qui s'était arrêté sur le seuil de la vaste salle de séjour. Rien de grave, j'espère ?

— Non, non. Je viens juste d'avoir des renseignements sur ce Russe. Sers-toi donc un verre et lis ceci.

Il passa les documents à Sam, qui se versa un verre de vin rouge avant de s'installer confortablement sur le canapé.

— Quel CV ! dit Sam quelques minutes plus tard. Voilà un type avec lequel il ne vaut mieux pas faire affaire. Quand il décide de se séparer de quelqu'un, on sait ce que ça veut dire. Quand même... perdre trois associés ? Je me demande comment il ne s'est pas fait coincer. Ou du moins réprimander pour négligence.

— N'oublie pas qu'il les a perdus à trois moments différents dans trois pays différents. Tu imagines les polices africaine, russe et américaine unissant leurs efforts ? (Reboul rassembla les papiers et les rangea dans un tiroir.) Assez parlé de lui. Où est la charmante Elena ?

— Elle essaie de se faire encore plus belle, j'imagine, répondit Sam en haussant les épaules. J'ai remarqué que, lorsqu'elle est en France, elle met deux fois plus de temps à se préparer. Trois fois plus quand elle est à Paris où elle dit que la concurrence est âpre.

— Ah, les femmes, fit Reboul en souriant. Comme la vie serait morne sans elles ! Sais-tu où vous allez ce soir ?

— Yves, un des amis de Philippe et de Mimi, est un grand cuisinier. Avec sa femme, Ginette, ils viennent de recevoir une étoile au Michelin, alors nous allons dans son restaurant pour fêter ça. Et toi ?

Reboul secoua la tête en faisant la grimace.

— Une soirée romantique avec mon comptable à discuter chiffres. Le mois prochain, il faudra remplir des déclarations pour l'impôt sur la fortune – quelque chose que vous autres Américains avez fort sagement choisi d'éviter. On dirait que tout ça devient chaque année plus compliqué. (Comme il se tournait vers la porte, son visage s'éclaira.) Ah, la voici... la Bomba. Ravissante, ma chère, absolument ravissante.

Elena esquissa une révérence.

— Merci, gentil seigneur.

C'est vrai qu'elle était ravissante dans une robe de soie vanille qui faisait ressortir ses cheveux bruns et son teint halé par le soleil corse. Sam dut en convenir, cela valait la peine d'attendre.

Dans le taxi qui les conduisait au restaurant, il raconta à Elena ce qu'il venait d'apprendre à propos de Vronsky. Elle n'en crut pas ses oreilles.

— Tu penses qu'il s'attend sérieusement à ce que Francis vende le Pharo ?

— Je ne sais pas, dit Sam. Mais un type qui a autant de pouvoir et d'argent n'a certainement pas l'habitude qu'on lui dise non. Il croit pouvoir se permettre tout ce qu'il veut, parce que c'est ainsi que ça marche depuis des années. Et il a un passé qui fait froid dans le dos. Je pense qu'il va falloir le surveiller de près.

# 6.

C'était soirée de gala au palais du Pharo. Six mois auparavant, Reboul, emporté par sa bonne nature, avait accepté d'organiser dans sa propriété un dîner au bénéfice d'une œuvre de charité locale, Les Amis de Marseille. L'association était patronnée par un comité de chefs d'entreprise et d'hommes d'affaires locaux, dont le but n'était pas totalement désintéressé : après tout, charité bien ordonnée commence par soi-même. La cause était en effet estimable et fort séduisante sur le plan local : faire de Marseille une destination attrayante sur la Côte grâce à des événements susceptibles de rivaliser avec Cannes et son Festival du cinéma, Nice et son Carnaval ou Monte Carlo et son tournoi de tennis et son Grand Prix automobile.

Quelle autre manifestation pouvait donc offrir Marseille ? Une course de yachts ? Un festival de musique ou de théâtre ? Un casino flottant ? Un championnat du monde de pétanque ? Une exhibition de ski nautique ? On avait tout envisagé. Mais la réalisation de ces ambitieux projets demandait de l'argent, et la soirée au palais du Pharo, avec dîner à mille euros par couvert, était destinée à amorcer la collecte de fonds.

Reboul avait bien fait les choses. L'immense terrasse s'étendant derrière le bâtiment principal s'était transformée en quelque chose d'intermédiaire entre une petite forêt et une gigantesque tonnelle. Des oliviers voisinaient avec des citronniers et des bouquets de bambous, tous plantés dans d'énormes pots en terre cuite et ornés de guirlandes de lumière. Sous les arbres, on avait disposé une vingtaine de tables de six couverts. Chacune, dressée avec nappe et serviettes en toile bleue de Marseille, était décorée de roses blanches et éclairée par des bougies. Sous un dais, dans un coin, un petit orchestre jouait de vieux succès – « La Mer », « La Vie en rose », la bande originale d'*Un homme et une femme*. Même la nature avait apporté sa contribution : l'air était calme et tiède, le ciel ressemblait à une vaste étendue de velours noir piquetée d'étoiles. « Un décor magique », comme l'avait dit un des premiers invités.

L'hôte et son équipe buvaient une coupe de champagne pour se préparer aux événements de la soirée. Elena arborait une robe qu'elle considérait d'un noir de cérémonie, bien qu'elle se refusât à préciser exactement de quel genre. Sam avait bien quelques idées mais on le pria de les garder pour lui. Mimi et Philippe, les jeunes fiancés, se tenaient amoureusement la main, Reboul et Sam étaient superbes dans leur smoking blanc.

— Alors, demanda Sam, tu as travaillé ton discours ?

Reboul fit la grimace.

— Je suis d'accord avec le type qui a dit que le secret d'un bon discours se résumait en trois points : se lever, prendre la parole et se rasseoir. Je vais donc être bref et charmant. (Une silhouette qui fendait la foule attira son regard.) Ah, voilà mon professeur de mondanités.

Marie-Ange Picard œuvrait dans l'événementiel et avait pour spécialité d'organiser ce genre de soirée. Blonde et svelte, la trentaine, elle aussi était moulée dans une petite robe noire coupée pour mettre en valeur un *décolleté* intéressant sur lequel son badge en plastique attirerait le maximum d'attention. Reboul fit les présentations. En un instant, Elena et Marie-Ange se toisèrent comme deux boxeurs sur le point d'entrer sur le ring.

— Quel amour de petite robe, dit Marie-Ange.

Elena inclina la tête en souriant. *Pas aussi petite que la tienne*, se dit-elle. *La prochaine fois, essaie quelque chose à ta taille.*

Marie-Ange reporta son attention sur Reboul, se collant un peu plus près à lui à chaque question qu'elle lui posait.

— *Alors*, monsieur Francis. Avez-vous tout ce qu'il vous faut ? Les notes pour votre discours ? Êtes-vous satisfait du placement des convives à votre table ? Voulez-vous revoir la liste des invités ? Il y a eu un ou deux ajouts de dernière minute.

Ses seins se pressaient presque contre le torse de Reboul.

Il recula d'un pas pour échapper au nuage de parfum et contempla la terrasse bondée.

— Toutes les tables sont occupées ?

— Les deux ou trois dernières sont complètes depuis hier, répondit Marie-Ange. Il y a en a une qui a été prise par un Russe. Il a réservé les six places.

Reboul fronça les sourcils. Combien de Russes résidant à Marseille étaient-ils prêts à débourser six mille euros pour un dîner ?

— Qui est cet homme ?

Marie-Ange consulta sa liste d'invités.

— Un certain M. Vronsky, dit-elle. Vous le connaissez ?

— Je n'ai pas ce plaisir, répondit Reboul en secouant la tête.

Marie-Ange le conduisit jusqu'à la tente où l'orchestre jouait les dernières mesures du classique d'Édith Piaf, « Non, je ne regrette rien ». Elle s'empara du micro.

— Mesdames et messieurs, amis de Marseille… bienvenue à tous. Je vous promets que vous n'oublierez jamais cette soirée. (Elle jeta un coup d'œil à ses notes.) Après le dîner – et quel dîner ! – ajouta-t-elle, posant un baiser sur le bout de ses doigts, il y aura une exceptionnelle vente aux enchères, au cours de laquelle vous ne résisterez pas à l'envie de faire des folies. Des folies pour une bien digne cause. Nous avons d'abord un week-end pour deux au Petit Nice, avec son restaurant trois étoiles au guide Michelin, sa vue imprenable sur la mer et sa *bouillabaisse* légendaire. (Nouvelle pause pour un nouveau baiser au bout des doigts.) Puis six bouteilles de Lafite Rothschild 1982 sélectionnées dans la cave personnelle de notre hôte, une des grandes années de ce cru magique. Ensuite, pour les amateurs de football, quatre billets au Club des Loges pour tous les matchs de la prochaine saison de l'Olympique de Marseille disputés à domicile. Et enfin, une occasion rarissime d'acquérir une automobile extraordinaire : une Bentley de collection, type R, achetée par le roi Farouk pour célébrer sa nomination comme résident officiel de Monaco en 1959.

Marie-Ange se tourna vers Reboul.

— Et maintenant, dit-elle avec le ton d'un prestidigitateur qui s'apprête à faire sortir de son chapeau un superbe lapin blanc, j'aimerais demander à notre généreux hôte, Francis

Reboul, de vous dire quelques mots – très brefs, m'a-t-il prié de vous préciser.

Après avoir donné le signal des applaudissements, elle lui passa le micro.

En quelques mots, brefs en effet, mais charmants, Reboul remercia l'auditoire de son soutien, insistant sur le fait que cette soirée n'était que le premier pas d'un voyage qui, espérait-il, viendrait apporter un nouveau joyau aux merveilles de sa bien-aimée ville de Marseille.

— Mais je suis sûr que vous avez tous faim, conclut-il en regardant la cuisine d'été, et j'aperçois mon ami Alphonse qui regarde sa montre. Tel que je le connais, ce n'est pas un homme qu'on peut faire attendre ! *Allons, mes amis* ! À table !

Ils étaient plus d'une centaine de convives à suivre ce conseil, et Reboul les connaissait presque tous : Hervé, le chef de la police ; d'importants personnages de la chambre de commerce ; Gaston, le combinard ; Mme Spinelli, de l'Association des femmes de Marseille, escortée de Bruno, son compagnon, considérablement plus jeune qu'elle ; le comité exécutif de l'Olympique de Marseille au grand complet et tout un assortiment de membres de la haute société de la ville, occupés à comparer leur bronzage ou leurs bijoux selon leur sexe. Autrement dit, tout le gratin marseillais.

À quelques exceptions près. À une table bien en vue, et ayant déjà pratiquement fait un sort à un magnum de Dom Pérignon, se trouvait un groupe que Marie-Ange décrivit en chuchotant à l'oreille de Reboul comme « le contingent russe ». Il y avait là Vronsky, arborant une veste de smoking en velours prune, avec Natasha d'un côté et Katya de l'autre ; le vicomte de Pertuis et Mme la vicomtesse, une femme élégamment anorexique brandissant un fume-cigarette avec une dangereuse nonchalance ; et, un peu affalé dans son fauteuil, un assez beau jeune homme, aux cheveux d'un blond incroyable et vêtu de cuir noir de la tête aux pieds.

Reboul essayait de gagner sa table tout en saluant ses amis quand il s'entendit appeler. Il se retourna et affronta le regard d'un bleu glacial d'Oleg Vronsky.

— Ah, monsieur Reboul. Je suis Vronsky.

Pour une fois, la bonne éducation de Reboul lui fit défaut.

— Je sais, dit-il en continuant son chemin.

Vronsky le rattrapa et lui prit le bras.

— Il faut que nous parlions. Ce pourrait être très intéressant pour vous.

— J'en doute, répliqua Reboul en repoussant la main de Vronsky afin de rejoindre sa table, plantant là le Russe avec une soudaineté qui éveilla la curiosité des convives alentour.

Vronsky, imperturbable, écarta un serveur pour regagner sa place.

— Petit merdeux de Français, dit-il, furieux, au vicomte en se rasseyant. Pour qui se prend-il ?

À la table de Reboul, les commentaires étaient du même ton, bien que la nationalité de l'insulté fût différente.

— Je n'arrive pas à y croire, grommela Sam. J'espère qu'il t'a présenté ses excuses pour avoir envahi ta maison.

— La conversation n'a pas été bien longue, fit Reboul en secouant la tête. Je suis désolé, ma chère, dit-il en se tournant vers Elena assise auprès de lui. Pardonnez-moi. Que cela ne nous gâte pas la soirée.

# 7.

Comme Reboul l'expliqua à Elena, le menu qu'il avait concocté avec son chef, Alphonse, était purement provençal.

— Nous commençons, expliqua-t-il, par du melon de Cavaillon, la ville d'où proviennent les meilleurs melons de France. Ils sont si bons qu'Alexandre Dumas fit don à la mairie de la collection complète de ses œuvres en échange d'une rente viagère de douze melons par an qu'on lui servit ponctuellement jusqu'à sa mort en 1870. (Il s'interrompit pour boire une gorgée de champagne et s'aperçut alors que les autres convives assis à sa table avaient interrompu leurs conversations pour l'écouter.) Les melons les plus juteux, les plus goûteux – ceux que nous avons ce soir – sont les *melons de dix*, dont les côtes permettent de découper dix tranches parfaites.

Elena regarda Sam, assis en face d'elle.

— J'espère, dit-elle, que tu prends des notes. Quand nous aurons trouvé une maison ici, c'est toi qui seras responsable de la cuisine. OK, Francis, ensuite ?

— De la *daube avignonnaise*, un ragoût d'été, c'est-à-dire de l'agneau mariné dans du vin blanc, donc un peu plus léger que les daubes d'hiver de bœuf cuit au vin rouge. On la sert avec des pâtes et un châteauneuf-du-pape blanc. Ensuite, des fromages de chèvre du pays et, pour finir, un de mes plats favoris : des fraises de Carpentras dans une sauce inventée par Alphonse – c'est du moins ce qu'il dit –, à savoir un mélange de crème, de yaourt, avec un soupçon de vinaigre balsamique. Cela devrait mettre tout le monde de bonne humeur pour la vente aux enchères.

Pendant qu'on dégustait les melons – juteux et parfumés comme promis –, Philippe, qui venait de passer deux jours en reportage à Cannes, répondit aux questions habituelles sur le festival du cinéma. Quelles stars avait-il rencontrées ? Quels films avait-il vus ? La vedette masculine de cette année faisait-elle vraiment battre les cœurs quand elle apparaissait à l'écran, ou bien, comme l'avait écrit un critique peu charitable, avait-elle l'air « d'un nain criblé d'acné » ?

Pour finir, quand Reboul demanda à Philippe quelle impression d'ensemble il avait gardée de ces deux jours de Festival, celui-ci hocha la tête.

— À en juger par ce que j'ai pu observer, dit-il, c'en est fini des conversations en aparté. Je n'ai vu que des groupes de gens qui ne se parlaient pas – ne se regardaient même pas d'ailleurs. Tous avaient les yeux rivés sur leur portable. La seule véritable conversation que j'aie eue, ç'a été avec le barman du Martinez.

Ces propos amers furent interrompus par l'arrivée de la daube estivale qui remporta un triomphe tant elle était légère, tendre et goûteuse.

— Elena, n'oublie pas de prendre des notes, recommanda Sam qui recueillait avec un croûton de pain les derniers vestiges de sauce restés dans son assiette.

— Je te le répète : la cuisine, c'est toi qui t'en chargeras.

— Je me chargerai uniquement des melons, répondit Sam. Pour le reste, je déléguerai.

Comme Sam s'y attendait, Elena leva les yeux au ciel, et la conversation reprit sur la difficulté de trouver une maison et l'absolue nécessité d'avoir une grande cave à vin et une chambre d'amis insonorisée. Alors que les fraises étaient servies, on évoqua le comportement irritant d'Oleg Vronsky. Pour Sam, c'était le rabatteur d'une agence immobilière, et la police devrait officiellement lui conseiller de cesser d'importuner les gens. Reboul se montra plus philosophe.

— Encore que, déclara-t-il, s'il continue de me harceler, il faudra que je fasse quelque chose.

Mais quoi donc ? Personne n'eut l'occasion d'exposer les différentes manœuvres possibles : une nouvelle fois, Marie-Ange s'empara du micro, son intervention ponctuée par un impérieux roulement de tambour et un discret ajustement de son corsage. C'était l'heure de la vente aux enchères.

Elles débutèrent avec le week-end pour deux au Petit Nice, dont Marie-Ange se fit un plaisir de vanter à l'auditoire sa situation superbe dominant la mer, ses chambres élégantes et confortables et, surtout, sa cuisine trois étoiles. Emportée par son enthousiasme, elle évoqua avec passion le plaisir de déguster sur la terrasse la légendaire *bouillabaisse*, la sublime huile d'olive (fournie tout exprès pour l'hôtel) –, puis, après un nouveau baiser envoyé de ses doigts légèrement flétris, elle ouvrit les enchères.

Elles commencèrent par un bien modeste cinq cents euros avant de monter rapidement à deux mille, puis deux mille cinq cents.

— Allons, faites un petit effort, dit Marie-Ange. Il ne s'agit pas seulement d'un week-end absolument fabuleux, mais aussi d'un investissement dans l'avenir de votre ville.

Après une dernière envolée d'enchères, le week-end partit finalement pour cinq mille euros. L'acquéreur était un homme d'affaires de la région connu pour son œil baladeur et Reboul dut réprimer son envie de lui demander qui il emmènerait en week-end, de sa femme ou sa maîtresse.

La vente reprit avec des enchères qui ne cessaient de monter : les six bouteilles de Château Lafite partirent pour vingt mille euros et les places dans la loge réservée pour les matchs de l'OM finirent par s'arracher à cinquante mille. Satisfaite, Marie-Ange n'entendait pas en rester là. Après avoir bu une gorgée de champagne pour reprendre des forces, elle s'attaqua au lot principal, la Bentley de collection. Pour l'occasion, la voiture avait été garée devant la maison et, dès son arrivée, elle avait déjà attiré l'attention des invités. Cette superbe machine gris perle possédait un revêtement en véritable peau de léopard et un cornet acoustique en or massif qui permettait de transmettre les instructions au chauffeur du siège arrière. Comme le précisa Marie-Ange, en faisant allusion sans trop de subtilité à l'identité de son précédent propriétaire, c'était « une voiture digne d'un roi ».

— Pour cette pièce unique, annonça-t-elle, nous espérons que vous ferez un effort particulier. Permettez-moi de vous le rappeler, c'est pour le bien de Marseille. Alors, mesdames et messieurs, à vos chéquiers. Qui ouvre les enchères ?

Les conversations s'étaient tues. Sur la terrasse, le silence était presque total, à peine pouvait-on entendre le crissement des fauteuils sur les dalles. Brusquement, Vronsky jaillit de son fauteuil, le bras levé et agitant sa main dans tous les sens.

— Pour le bien de Marseille, j'offre un million d'euros.

Après quelques secondes de stupéfaction, ce fut un tonnerre d'applaudissements, déclenché par Marie-Ange qui se précipita sur un Vronsky rayonnant pour lui planter un baiser sur chaque joue.

Son instinct de journaliste aussitôt en alerte, Philippe avait sorti un calepin sur lequel il commençait à griffonner quelques notes.

— Ça fera un joli petit article pour *La Provence*, dit-il. Puis, se tournant vers Reboul : vous permettez, n'est-ce pas ?

Reboul sourit en haussant les épaules.

— Bien sûr que oui. Pourquoi ne pas l'interviewer ? Et, pendant que vous y êtes, indiquez-lui la direction de Moscou.

En page trois de *La Provence*, on pouvait lire en gros titre « LE MEILLEUR AMI DE MARSEILLE », puis on découvrait une photo légèrement floue, prise par Philippe avec son portable, de Vronsky, les bras croisés sur sa poitrine, penché sur sa Bentley récemment acquise.

Après quelques mots aimables sur cette soirée de bienfaisance et une brève évocation des enchères, l'article se poursuivait avec une série de questions-réponses. Que comptait faire M. Vronsky de la Bentley ? Pourquoi se trouvait-il à Marseille ? Envisageait-il d'y séjourner plus souvent ? La réponse à cette question se résumant à un « oui » catégorique, la question suivante allait presque de soi : où allait-il s'installer ? « J'ai en vue une propriété, répondait Vronsky, mais je n'en dirai pas plus pour l'instant. »

Reboul reposa le journal.

— Salopard effronté, grommela-t-il en s'adressant à Sam. Alors, il a en vue une propriété, hein ? As-tu remarqué qu'il regardait dans tous les coins après le dîner ? C'est tout juste s'il ne mesurait pas les rideaux. *Quel culot* !

Il se leva, furieux.

Sam aperçut Elena qui traversait la terrasse après son plongeon matinal dans la piscine et lui versa une tasse de café.

— Qu'a donc Francis ce matin ? demanda-t-elle. Il m'a à peine dit bonjour ! Tu lui as dit quelque chose qui l'a énervé ?

— Ce n'est pas moi, dit-il avec un geste de protestation, c'est ce Russe. (Il lui tendit le journal en désignant l'article de Philippe.) Lis juste les deux dernières lignes… pas étonnant que Francis soit de mauvais poil.

Elena lut et repoussa le journal.

— Le toupet de ce type ! Est-ce qu'il croit pouvoir forcer Francis à lui vendre la maison ?

— Regarde un peu son parcours, fit Sam en haussant les épaules. Il a fait affaire dans des coins du globe réputés difficiles, avec des gens coriaces, qu'il a battus ou dont il s'est débarrassé. D'une façon ou d'une autre, il a eu le dessus. Apparemment, il a de l'argent à ne savoir qu'en faire et c'est un homme très puissant, qui a l'habitude d'obtenir ce qu'il veut. En ce moment, il a envie du Pharo, et il m'a l'air d'être le genre de type à tout faire pour avoir ce qu'il souhaite. Pour l'instant, je pense qu'il est persuadé qu'il lui suffit d'offrir un paquet de fric à Francis pour acquérir la propriété. C'est comme ça que ça marche en Russie.

— Aux États-Unis aussi, Sam. Tu n'as pas remarqué ?

Sam secoua la tête en souriant.

— Trop occupé à te regarder, mon ange. Maintenant, qu'aimerais-tu faire aujourd'hui ? Te balader ? Chercher une maison ? Faire du shopping ? Prendre un bain de soleil toute nue ?

— J'aimerais surtout faire quelque chose pour changer les idées de Francis.

— Excellente idée, déclara Sam. Ce sera donc le bain de soleil toute nue.

Elena poussa un soupir et resta un moment silencieuse. Puis ils reprirent leur conversation et décidèrent d'emmener Reboul prendre un déjeuner tranquille pour qu'il se détende, proposition qui lui remonta immédiatement le moral. Sam téléphona à Philippe et l'invita à venir les rejoindre au Peron, un restaurant situé sur la Corniche. Vers midi, ils montèrent tous en voiture et partirent.

Ils abordaient à peine le premier virage qu'ils furent brusquement bloqués par la Bentley de Vronsky garée au milieu du chemin. Le Russe était planté près de la voiture, escorté du charmant jeune homme qu'ils avaient aperçu à sa table lors du dîner, celui qui était vêtu de cuir noir de la tête aux pieds. Aujourd'hui, il portait un marcel blanc qui mettait en valeur ses bras bronzés et musclés, un short en daim ultracourt, des bottes de motard et autour du cou un appareil photo muni d'un téléobjectif.

Reboul descendit de voiture et Vronsky, tout sourire, vint à sa rencontre.

— Mon cher monsieur Reboul, j'espère que vous voudrez bien nous pardonner, dit-il en montrant d'un geste son compagnon. Nikki, mon garde du corps, voulait prendre quelques photos du Pharo pour les envoyer à sa mère.

Elle habite Minsk et n'a jamais de sa vie pu voir une architecture pareille.

Sans laisser à Reboul l'occasion de placer un mot, Vronsky s'approcha et poursuivit d'un ton confidentiel :

— Je dois avouer que je suis tombé amoureux de votre magnifique demeure et je serai prêt à payer ce que vous en demanderez. (Il hocha la tête en fixant Reboul de ses yeux d'un bleu de glace.) N'importe quelle somme.

Reboul rassembla toute la maîtrise de soi dont il était capable.

— J'ai dit à votre agent et vous le redis maintenant, ma maison n'est pas à vendre. Je pense donc que vous feriez mieux de partir. Tout de suite.

Vronsky prit une profonde inspiration. Personne ne lui avait parlé sur ce ton depuis son service dans l'armée.

— Très bien, dit-il en tournant les talons. Mais j'espère que vous ne regretterez pas cette décision.

Reboul, exaspéré, suivit la Bentley qui descendait l'allée, tandis que Sam s'efforçait de détendre l'atmosphère en faisant quelques remarques sur Nikki, le garde du corps.

— Il en a, une allure, ce type, dit-il. Il se teint les cheveux et se rase les jambes. (Il se tourna en souriant vers Elena.) Je pourrais glaner quelques conseils de mode auprès de lui. De quoi aurais-je l'air en short ultracourt ?

— Sam, crois-moi. Tu ne veux pas savoir. Mais les jambes rasées, pourquoi pas ?

Quand ils arrivèrent au restaurant, Reboul semblait s'être calmé.

— Je suis content de voir Philippe, dit-il. J'aimerais savoir ce qu'il pense de Vronsky après son interview. (Il secoua la tête.) J'ai besoin d'un verre.

Ils buvaient tranquillement leur rosé en consultant le menu quand deux serveurs s'arrêtèrent net.

— Putain, regarde un peu ça, dit l'un d'eux à son collègue, tandis que débouchait du cap la masse imposante du *Caspian Queen*.

Reboul faillit s'étrangler avec son vin.

— Encore ce foutu Russe… je suis sûr qu'il nous suit.

Sam lui tapota l'épaule.

— Détends-toi, Francis. Nous ne risquons rien ici. Il ne pourra jamais trouver une place pour accoster.

Philippe, qui avait gardé un silence inhabituel, s'éclaircit la voix en les regardant.

— Je dois vous faire un aveu. (Il marqua une pause, manifestement mal à l'aise.) Il m'a invité sur son bateau.

Trois paires de sourcils se haussèrent en accent circonflexe tandis qu'il poursuivait.

— Il m'a téléphoné pour me dire combien il avait apprécié mon article sur la vente aux enchères. Il aimerait que je fasse un portrait de lui pour « me présenter à mes nouveaux voisins, les gens de Marseille », m'a-t-il dit. (Philippe s'interrompit pour boire une gorgée.) Alors, il a suggéré que je vienne passer un ou deux jours sur son yacht pour faire sa connaissance. Il n'a pas voulu fixer de date… car il est très occupé en ce moment, mais il m'a assuré qu'il m'appellerait quand il serait prêt.

— Que lui avez-vous répondu ? demanda Reboul.

— Ma première réaction a été de lui dire d'aller se faire voir. Et puis je me suis dit… que, ma foi, s'il essayait de vous jouer un tour, ça pourrait valoir le coup d'avoir quelqu'un dans le camp ennemi. Qu'il lâcherait peut-être quelque chose qui pourrait être utile.

Reboul hocha la tête.

— Ce n'est pas une mauvaise idée. (Il se tourna vers les autres.) Qu'en pensez-vous ?

Elena et Sam acquiescèrent. Il n'y avait rien à perdre.

— Dites-moi, Philippe, reprit Reboul, vous avez passé plus de temps que nous avec Vronsky. Que pensez-vous de lui ?

— Il m'a rappelé des politiciens que j'ai pu rencontrer. Arrogants, très satisfaits d'eux-mêmes. À mon avis, ce n'est pas un homme à contrarier. Il a vraiment l'air d'aimer ce qu'il a vu de Marseille. Surtout votre maison.

## 8.

L'homme dont on ne cessait de parler durant ce déjeuner au Peron était assis sur le pont supérieur de son yacht, où il avait avec son garde du corps un entretien des plus sérieux. Au cours des années qu'ils avaient passées ensemble, Vronsky avait pris l'habitude de compter sur Nikki pour régler les problèmes délicats. Le Russe avait toujours été satisfait des solutions proposées par ce dernier ; elles étaient certes parfois brutales, mais toujours efficaces. La situation actuelle, comme bien d'autres dans le passé, trouverait à n'en pas douter une solution. Mais laquelle ?

Vronsky commençait à se faire à l'idée qu'il faudrait beaucoup plus que de l'argent, peu importait le montant, pour inciter Reboul à changer d'avis et à vendre sa maison. De toute évidence, il était suffisamment riche pour ne pas se laisser impressionner par de l'argent.

— Et le sexe ? suggéra Nikki. (Voilà une arme qu'il avait souvent utilisée avec de bons résultats.) Avec le Festival de Cannes, il y a des douzaines de belles filles disponibles. Un rendez-vous dans une chambre d'hôtel… quelques photos, un peu de chantage. Ça pourrait facilement s'arranger.

— Oublie ça, fit Vronsky en secouant la tête. Reboul est un homme riche qui vit à Marseille depuis des années. Si l'envie le prenait de changer de maîtresse, il n'aurait aucun mal à en trouver une.

— Et côté garçons ?

— Je ne crois pas que ce soit son genre. Tu devrais le savoir, ajouta-t-il en souriant.

Nikki prit un air boudeur.

Vronsky s'avança jusqu'au bastingage pour contempler la vue : les eaux chatoyantes de la Méditerranée, le Vieux-Port et, tout en haut, juché sur sa colline, le palais du Pharo. Vronsky devait en convenir, cette propriété était devenue son obsession. Il y pensait constamment et s'imaginait déjà y vivre. Après tout ce qu'il avait accompli, il le méritait bien. Pour ajouter encore à sa frustration, cette demeure était unique, tant par son style que par sa situation, et jamais il n'en trouverait une pareille. Mais si l'argent, pas plus que le sexe ou le chantage, n'arrivaient à convaincre Reboul, alors que pouvait-on trouver ?

Nikki vint le rejoindre. Ils savaient tous deux qu'il existait une autre option, plus sûre, qui avait déjà fait ses preuves autrefois.

— Je pensais, dit Nikki, à ce type de New York, qui en tombant de sa terrasse avait fait un vrai gâchis sur Park Avenue.

— Un bien tragique accident. Très triste. (Suivi d'un bref silence pendant lequel les deux hommes luttèrent pour maîtriser leur affliction.) Mais pourquoi tu parles de lui ? Tu as une idée ?

— Un tragique accident peut toujours arriver. Après tout, il en survient tous les jours, dans le monde entier.

Et, le visage rayonnant d'innocence, il se tourna vers Vronsky, haussant les sourcils d'un air interrogateur.

— Laisse-moi y réfléchir, dit Vronsky.

— Bien sûr, il faudrait en savoir plus sur les habitudes de Reboul : où il va pour s'amuser, s'il apprécie les distractions dangereuses, s'il a un garde du corps, avec qui il couche, quels restaurants il fréquente, bref, toutes ces choses qui peuvent être utiles à connaître.

Vronsky poussa un soupir. Tout serait tellement moins compliqué en Russie.

Plus tard dans la soirée, alors que les lumières de Marseille s'allumaient, Vronsky fumait un cigare sur le pont de son yacht en contemplant une fois de plus le Pharo. Le palais paraissait encore plus séduisant la nuit, avec sa façade baignée d'une douce lumière. Vronsky s'imaginait là – en hôte affable, recevant à dîner des femmes élégantes accompagnées d'hommes riches et influents. Peut-être même danserait-on un peu, car la place ne manquait pas au Pharo. L'unique barrière qui se dressait entre lui et cette délicieuse existence était ce stupide entêté de Français.

Vronsky en convenait, la possibilité d'une mort accidentelle proposée par Nikki était un dernier recours. Mais il n'en voyait pas d'autre. La décision était simple à présent : ou bien il laissait à Nikki la bride sur le cou, ou bien il disait adieu à son rêve. Quant à la question de savoir si cela valait la peine de tuer pour quelque chose qu'on voulait, Vronsky y avait répondu voilà bien des années quand, pour affaires, il avait dû se débarrasser de partenaires encombrants. Il y avait longtemps qu'il ne s'embarrassait plus de ce genre de scrupules.

Vronsky bâilla, s'étira ; sa décision était prise. Il dormit particulièrement bien cette nuit-là.

Reboul s'installa à la place du passager tandis qu'Olivier, son chauffeur, ajustait ses lunettes de soleil avant de se lancer dans la circulation matinale en direction du Vieux-Port. Ils se dirigeaient vers un petit bâtiment qui ne payait pas de mine où Reboul avait installé son bureau. Malgré l'extérieur peu reluisant, les visiteurs ne manquaient pas de s'étonner de l'intérieur à la fois soigné, moderne et accueillant. Entre les confortables fauteuils de cuir, le bureau et les tables en teck, on ne trouvait d'ancien que la secrétaire de Reboul, un trésor de sexagénaire du nom de Mme Giordano. Elle était avec lui depuis que, tout jeune homme, il avait débuté dans les affaires trente ans plus tôt. Mme G., comme on l'appelait d'ordinaire, adorait Reboul, gérait sa vie professionnelle avec une vigoureuse efficacité et le traitait avec la patiente indulgence d'une mère pour un enfant chéri mais un peu difficile.

Olivier ralentit et s'apprêtait à s'arrêter devant le bureau lorsque Reboul lui tapa sur l'épaule.

— Continuez, dit-il. Je voudrais vérifier quelque chose. Vous voyez cette Peugeot blanche derrière nous ? Elle était garée sur la route au pied du Pharo quand nous sommes partis. Je l'ai remarquée car son rétroviseur extérieur menace de tomber et a été recollé avec du chatterton noir. Elle est toujours derrière nous, cela me paraît une curieuse coïncidence : j'ai l'impression qu'on nous suit.

Olivier jeta un coup d'œil.

— Vous voulez que je le sème ?

— Non… juste que vous lui compliquiez un peu la vie.

Olivier n'aimait rien tant qu'une course-poursuite, aussi se lança-t-il dans une multitude de petites rues sinueuses, revenant sur son chemin et grillant çà et là un feu rouge. La

Peugeot restait toujours à une cinquantaine de mètres derrière eux.

— Ce type sait conduire, dit Olivier. Et vous avez raison. Il nous suit, ça ne fait aucun doute.

Ils finirent par le semer en quittant le boulevard Charles-Livon à la hauteur du Cercle des nageurs, un club de natation privé non loin du Pharo où les gens au volant d'une Peugeot blanche décrépite ne pouvaient être admis qu'à condition d'être membres. Reboul appela Mme G. pour lui annoncer qu'il ne viendrait pas au bureau, puis il s'installa à une table au bord de la piscine avec une tasse de café. Songeur, il se demandait qui pouvait bien le suivre, et pour quelle raison. Prenant son portable pour téléphoner à Hervé, il se ravisa, se disant qu'il n'allait pas jouer les vieilles dames nerveuses. Malgré tout, se dit-il, ce n'était pas surprenant qu'il se sente mal à l'aise.

Un peu plus tard, Nikki, assis à une table de café dans le Vieux-Port, profitait du soleil de l'après-midi – un Nikki plus conventionnel, qui avait troqué son short et ses bottes de motard pour l'uniforme d'un gentleman en vacances : pantalon de coton impeccable et soigneusement repassé, chemise de lin blanc et panama à large bord. Il était en compagnie d'un Marseillais du nom de Rocca, un personnage douteux qui gagnait sa vie en fouinant pour des avocats ou, comme il préférait le dire,

« en faisant des recherches juridiques ». Il venait d'être engagé pour suivre un homme imaginé par Nikki, un homme extrêmement riche que sa femme soupçonnait d'entretenir une maîtresse et de l'avoir installée dans un « nid d'amour ». Un divorce et le versement d'une pension de plusieurs millions d'euros étaient envisageables, à condition de réunir quelques preuves.

— Alors, demanda Nikki, où est-il allé ?

Rocca haussa les épaules et but une grande gorgée de *pastis*.

— Demande-moi plutôt où il n'est pas allé. Après avoir tournicoté dans des petites rues jusqu'aux docks, il est remonté près du Pharo, et c'est là qu'il m'a semé. Il est entré au très chic Cercle des nageurs – dont l'accès est uniquement réservé aux membres. Je n'ai même pas été autorisé à entrer dans le parking. Alors, j'ai attendu dehors jusqu'à l'heure de notre rendez-vous, mais aucune trace de lui.

— Le salaud, dit Nikki. Il a sûrement retrouvé sa maîtresse. Qu'est-ce que je vais raconter à cette pauvre femme ? (Rocca haussa de nouveau les épaules.) Tu crois qu'il s'est rendu compte qu'il était suivi ?

— Je ne pense pas. Mais, si tu veux que je continue à le filer, il me faudra une autre bagnole, quelque chose qui ne soit pas une Peugeot blanche qui part en morceaux.

Nikki hocha la tête et fit glisser une enveloppe sur la table.

— Loue une autre voiture. Fais une liste des endroits où il va et appelle-moi à la fin de chaque journée.

Elena et Sam avaient décidé de consacrer quelque temps à chercher une maison et pris rendez-vous avec un agent immobilier installé dans le Luberon, à une heure environ de Marseille. Philippe leur avait dit que la région était réputée pour la beauté de ses paysages et de ses charmants villages médiévaux, et qu'elle était fréquentée par des *people* – acteurs, metteurs en scène, rockers, membres de l'élite parisienne et politiciens de haut rang occasionnels –, la plupart espérant secrètement être reconnus malgré leurs lunettes de soleil. Philippe leur avait raconté que le magazine *Gala* y expédiait chaque été un envoyé spécial pour observer les gens riches et célèbres et, avec un peu de chance, les surprendre à s'encanailler.

— Mais, avait-il ajouté, si l'on évite les endroits fréquentés par la jet-set, le Luberon est un coin calme et superbe.

— En tout cas, dit Elena, c'est magnifique.

Ils traversèrent la Combe de Lourmarin, une petite route étroite et sinueuse qui zigzaguait entre les collines et reliait la partie plus glamour du Nord du Luberon aux villages plus paisibles et moins fréquentés du Sud. Ils se rendaient au bureau de l'agent immobilier à Gordes, surnommée parfois « la capitale du *beau monde* estival », au charme extraordinairement pittoresque avec ses maisons en pierre de taille patinées par des siècles de soleil et de mistral. Le village, à peine sorti de son hibernation annuelle, est perché au sommet d'une colline d'où l'on découvre une succession de ravissants paysages.

Touristes anglais, américains, allemands et japonais, étudiants de l'école des beaux-arts de Lacoste, tous étaient là, caméras en bandoulière, à s'émerveiller à la vue d'un passage au pavé inégal ou à se réjouir lorsqu'un indigène obligeant acceptait de prendre la pose à leur côté. Elena et Sam se frayèrent un chemin dans la cohue pour découvrir le bureau de l'agent, niché dans une des rues escarpées qui partent de la place du Château.

On accédait à l'agence par un passage voûté qui menait à une étroite maison tout en hauteur sur laquelle courait une glycine. Les volets étaient à demi clos pour protéger l'intérieur du soleil et, sur la porte d'entrée, une plaque en cuivre soigneusement astiquée annonçait qu'ici se trouvait le siège de VERRINE, IMMOBILIER DE LUXE. Juste à côté, dans une petite vitrine, étaient exposées les photographies d'une douzaine de magnifiques propriétés, sans la moindre indication de prix. Ce détail, Elena et Sam n'allaient pas tarder à le découvrir, était un sujet si délicat qu'on le réservait pour une conversation discrète.

Ils étaient en train de regarder les photos quand la porte de la maison s'ouvrit toute grande pour livrer passage à la propriétaire de l'agence, Mme Verrine en personne, dans toute sa splendeur épanouie. Elle félicita Elena et Sam pour leur ponctualité, qui étonnait toujours en Provence. Par la suite, Elena comparerait Mme Verrine à un navire toutes voiles dehors. Grande, plantureuse, elle paraissait avoir la cinquantaine. Ses formes généreuses étaient drapées dans des nuages de soie de couleurs vives, son cou et ses poignets scintillaient de bijoux en or, et son visage potelé témoignait des vertus rajeunissantes d'une bonne chirurgie esthétique.

— Parfait. Vous êtes américains, je crois ? dit-elle en les faisant entrer dans son bureau. Alors, parlons anglais.

— Cela me facilitera les choses, dit Elena.

— Pas de problème. Ici, à Gordes, l'anglais est notre seconde langue. Bon, il faut d'abord que je vous demande si vous avez prévu un budget.

— Très flexible, répondit Sam. Il dépendra de ce que nous verrons. Comme vous le savez, acheter une maison a un côté affectif. Si nous tombons amoureux de quelque chose… ma foi, il n'y a pas de limite ! Ne parlons pas d'argent pour l'instant.

L'argent, justement, était ce dont Mme Verrine voulait parler mais, ravalant courageusement sa déception, elle saisit un gros album qu'elle posa devant eux.

— Voici quelques-unes des propriétés dont je m'occupe, dit-elle en abattant ses griffes soigneusement laquées de rouge sur quelques photographies. Arrêtez-moi dès que vous verrez quelque chose qui vous intéresse.

C'était plus facile à dire qu'à faire, car elle exerça aussitôt ses talents de bonimenteur, les submergeant d'un flot de paroles impossible à endiguer. Comme l'avait prédit Reboul, l'expression *charme fou* fleurissait à chaque phrase, suivie de près par des « maisons pleines de possibilités », « offrant de merveilleuses occasions d'investissement », « appartenant à des célébrités à la recherche de quelque chose de plus grand » ou « à des couples en plein divorce désirant une maison plus petite ». Elles étaient toutes, sans exception, des *affaires à saisir* avant juillet-août, période où les spéculateurs arrivaient de Paris et se battaient littéralement pour mettre la main dessus.

À la fin de la matinée, titubant sous le déferlement continu de louanges débitées par Mme Verrine, ils parvinrent à s'échapper en promettant de réfléchir et de revenir.

— Ouah, dit Elena, ma première agence immobilière française… tu crois que c'est toujours comme ça ?

— C'est une profession où la concurrence est rude. J'ai remarqué cinq agences rien que dans ce village. Alors, j'imagine que, pour survivre dans ce métier, il faut avoir un tempérament assez agressif. Sinon, mieux vaut se rabattre sur une activité plus facile, criminelle par exemple. Et maintenant, si nous essayions pour déjeuner cette adresse que Philippe nous a recommandée ?

*La Vieille Grange*, après cinquante ans de bons et loyaux services comme entrepôt et garage de tracteurs, avait été rachetée par un jeune couple, Karine et Marc, et transformée en un restaurant comme on n'en fait plus, au menu limité à quelques plats, avec des prix raisonnables, des produits locaux, des fromages du pays, et une absence totale de prétention. Un serveur en gants blancs se serait senti mal à l'aise dans ce cadre. D'ailleurs, le poste était déjà occupé par Joseph, l'oncle de Karine.

Le bâtiment, allongé et bas de plafond, se trouvait au bout d'un petit chemin de terre sur la route reliant les villages de Lourmarin et de Lauris, du côté paisible du Luberon. Quiconque passant par là pouvait remarquer qu'à l'heure du déjeuner le champ jouxtant la grange était encombré de voitures, ce qui augurait favorablement de la cuisine de Marc.

Sam gara sa voiture à côté d'une Renault vieillissante et constata, en se dirigeant vers le bâtiment, qu'il n'y avait ni grosses cylindrées bien astiquées ni plaques étrangères. L'endroit semblait réservé aux gens du pays ; d'ailleurs, quand ils poussèrent la porte, ils furent accueillis par un joyeux brouhaha aux accents locaux. Bien qu'il fût à peine midi passé, le restaurant était déjà presque complet. Karine, toute souriante, leur trouva au dernier moment une table pour deux. Elle leur présenta à chacun le menu très court et leur recommanda une carafe de rosé, car il faisait très chaud.

La longue salle rectangulaire était spacieuse, agréable et dépourvue de ces touches superflues que prodiguent les décorateurs d'intérieur. Ici, les clients créaient l'ambiance et le décor. Les tables comme les chaises étaient simples et fonctionnelles, les nappes en papier et, pour boire, on avait de bons gros verres sans fioriture.

— C'est le genre d'endroit que j'aime, dit Sam. Je suis sûr qu'une grande partie de ces gens sont des habitués : ils ont l'air de tous se connaître.

Le vin était servi dans une cruche vernie perlée de gouttes de condensation.

— Je n'ai entendu personne parler anglais, observa Elena. Tu n'as pas l'impression que nous sommes les seuls étrangers ici ?

Sam leva le nez du menu pour acquiescer.

— Absolument. C'est tout à fait le genre d'endroit que j'aime, répéta-t-il. Tu vois ? Ils ont du *velouté d'asperges* – c'est la pleine saison pour les récolter. Et puis il y a du magret de canard aux olives. Voilà exactement ce qu'il me faut. (Il reposa le menu, prit son verre et trinqua avec Elena.) Qui a besoin d'une cuisine quand il existe de pareils restaurants ?

Elena sourit : l'enthousiasme de Sam, si bon vivant, était contagieux.

— Tu m'as convaincue, déclara-t-elle. Je choisis la même chose.

Ces décisions capitales une fois prises, leur conversation revint sur Mme Verrine et son stock apparemment inépuisable de propriétés. Il ne fallut que quelques minutes à Elena, soudain un peu hésitante, pour se pencher sur la table et prendre la main de Sam.

— J'espère que ça ne va pas être une trop grosse déception, dit-elle, mais, en regardant toutes ces maisons perdues dans la campagne, je me suis rendu compte d'une chose : je suis une fille de la ville – autour de moi, j'ai besoin de rues, de l'activité et des rumeurs d'une ville. Je ne sais pas si je pourrais supporter toute cette paix et ce calme. Je sais que c'est beau et je crois que ce serait formidable pour les week-ends, mais… (Elle s'interrompit en serrant fort la main de Sam.) Enfin, tu vois ce que je veux dire.

Sam n'avait pas eu le temps de répondre qu'oncle Joseph arriva avec une corbeille de pain tout chaud et murmura « *bon appétit* » en plaçant devant eux deux grands bols de soupe. En fait, le mot « soupe » ne rend pas justice à l'arôme subtil qui se dégageait du contenu lisse comme du velours, vert pâle et décoré d'une généreuse traînée de crème.

— Chaque chose en son temps, dit Sam qui n'avait pas l'air trop surpris par la déclaration d'Elena. Mange tant que c'est chaud, nous reviendrons ensuite à l'immobilier. (Il se pencha au-dessus du bol, en inhala le fumet, leva les yeux au ciel, tourna sa cuillère dans la crème et la porta à sa bouche.) Sublime ! Non seulement sublime mais, puisque c'est la première fois de l'année que tu goûtes des asperges, il faut que tu fasses un vœu. C'est une vieille tradition provençale.

Elena était trop occupée pour répondre, et ce n'est qu'après avoir terminé leur bol et essuyé avec du pain les dernières gouttes de velouté qu'elle reprit la parole.

— Dis-moi, Sam, tu n'as pas l'air trop déçu…

— Non, en effet. J'aime venir en Provence, c'est un vrai plaisir, mais il faut que ce plaisir soit partagé. Je vis très bien en ville, dès l'instant où nous pouvons de temps en temps dénicher des endroits comme ici. Alors, que dirais-tu d'un appartement à Marseille ?

L'expression d'Elena était exactement ce à quoi Sam s'attendait comme réponse et, pendant le reste du repas – l'admirable magret de canard, le fromage de chèvre légèrement coulant et la divine tarte aux pommes –, ils ne parlèrent que de Marseille. Ou plutôt, Elena parla et Sam écouta. La ville, expliqua-t-elle, était idéalement située : à seulement une heure d'une campagne merveilleuse, à deux pas de Cassis qu'ils adoraient tous les deux, pas trop loin de Saint-Tropez et de la Riviera s'il leur fallait une dose de mondanités et, en prime, Francis et Philippe étaient là pour leur ouvrir toutes les portes.

Ce problème réglé, ils regagnèrent Marseille, débordant de cette bonne humeur qui accompagne une décision extravagante prise sous l'influence d'un excellent déjeuner accompagné d'un ou deux verres de rosé.

# 9.

— Figure-toi, Francis, que nous allons être voisins.

Francis leva les yeux de son bureau en voyant une Elena tout excitée débouler dans la pièce et se pencher pour lui planter un baiser sur le front.

— Nous avons décidé de chercher un appartement à Marseille. C'est formidable, non ?

Reboul se leva avec un grand sourire et lui rendit son baiser.

— Je suis ravi, dit-il. Et, par une étonnante coïncidence, il y a sur la terrasse une bouteille de champagne qui attend qu'on la boive. Où est Sam ?

Le temps que celui-ci les rejoigne, la bouteille avait été ouverte et le champagne servi.

— Portons un toast, déclara Sam, en levant sa coupe. À Marseille, aux bons moments et surtout, à notre amitié. Merci, Francis.

— C'est un plaisir, dit Reboul. Je suis ravi mais, dis-moi… et la vie dans le Luberon ?

— C'est sans aucun doute un coin magnifique, vraiment ravissant. Mais nous nous sommes rendu compte que nous n'étions pas faits pour la campagne. Nous sommes des citadins. Elena a tout à fait raison : une vie paisible dans une ferme loin de tout à regarder pousser la lavande nous rendrait probablement fous.

— Je comprends tout à fait, acquiesça Reboul. Ma vieille ferme en Camargue est un endroit de rêve pour trois jours. Passé ce temps, je commence à inviter mes chevaux à prendre un verre chez moi.

Ils continuèrent à parler de leur projet – Elena posait une foule de questions allant de l'importance d'avoir une vue sur la mer jusqu'aux avantages qu'offraient les différents quartiers –, mais il devint vite évident que Reboul avait autre chose en tête. Il semblait préoccupé et de plus en plus taciturne, au point qu'Elena s'arrêta au milieu d'une phrase.

— Francis, ça va ?

Reboul secoua la tête en soupirant.

— Pardonnez-moi. C'est cet idiot de Russe. Je viens de recevoir un rapport de mes amis parisiens qui ont enquêté sur lui et ses méthodes de travail, et les nouvelles ne sont pas bonnes. (Il se leva, entra à l'intérieur de la maison et revint avec un petit dossier.) Tous les détails se trouvent ici, et il semble que la plupart des affaires qu'il a conclues ont eu des conséquences fatales pour une personne au moins.

Il ouvrit la chemise et étala les feuillets sur la table.

— Il ne s'agit pas seulement de ces prétendus accidents en Afrique et en Russie – je me souviens que nous en avions plaisanté –, mais de ce qui s'est passé en Amazonie et dans l'Arctique. Dans ces deux régions, les concurrents ont été victimes de ce qu'on pourrait appeler de sérieux effets collatéraux. (Il ponctua ces propos en faisant glisser le tranchant de sa main sur sa gorge.) Et puis, il y a eu l'accident à New York.

Il s'interrompit pour boire une gorgée de champagne.

— Que faisait la police quand tout cela s'est produit ? demanda Sam en fronçant les sourcils.

Reboul tapota la page posée devant lui.

— Des enquêtes ont été menées, du moins c'est ce qu'on indique ici. Mais pour chaque affaire, c'est toujours le même constat : Vronsky ne se trouvait jamais dans le pays au moment des accidents, parfois même pas sur le même continent. (Reboul haussa les épaules.) Alors, comment prouver qu'un crime a été commis par quelqu'un qui n'était pas sur place ? Vous pouvez avoir tous les soupçons et avancer toutes les théories que vous voulez, ça ne suffit pas. Il faut des preuves.

Elena sortit la bouteille de champagne de son seau à glace et remplit leur coupe.

— Ces gens qui ont fait ce rapport… que te recommandent-ils de faire ?

— De l'éviter. Et de ne pas oublier que c'est quand il est loin qu'il semble le plus dangereux. (Reboul referma le dossier en faisant de son mieux pour sourire.) Je ferais donc bien de surveiller ses projets de voyage.

Reboul ne mentionna la voiture qui l'avait suivi le matin qu'au cours du dîner. S'il essaya de prendre la chose à la légère, ce furent bien trois personnes soucieuses qui montèrent se coucher ce soir-là.

Le soleil matinal leur fit retrouver leur optimisme, du moins en ce qui concernait Sam. Il prit soin de ne pas se montrer d'humeur trop joyeuse devant Reboul, mais ne tarda pas à exposer son idée.

— Échangeons nos places pour ce matin, dit-il. Prête-moi Olivier et ta voiture, et nous verrons bien si notre ami dans sa Peugeot a envie de jouer à cache-cache aujourd'hui. Si c'est le cas, j'aimerais lui dire deux mots.

Reboul se pencha pour tapoter la joue de Sam.

— Tu es vraiment un ami, Sam. Mais non merci. C'est mon problème et je ne veux pas que tu sois impliqué dans cette histoire.

— Francis, tu ne comprends pas... j'adore ce genre de défi. D'ailleurs, ajouta-t-il en braquant son index sur Reboul, ça me donne un prétexte pour ne pas accompagner Elena. Avec Mimi, elles ont projeté de passer une journée de rêve avec des agents immobiliers de Marseille et, après mon expérience avec Mme Verrine, je ne me crois pas capable de supporter un nouveau déferlement d'enthousiasme. (Il marqua une pause et vit que la résistance de Reboul commençait à faiblir.) Alors, ça marche ?

— Mais ce type s'apercevra sans doute que ce n'est pas moi qui suis dans la voiture.

— Aucun risque. Tout ce qu'il a vu, c'est ta nuque à trente ou quarante mètres. C'est la voiture qu'il reconnaîtra. (Sam eut un sourire.) Reconnais-le... tu es à court d'arguments.

Reboul se leva et regarda par la fenêtre.

— Très bien. Mais, Sam, promets-moi de ne rien faire de dangereux.

— Oui, papa.

Olivier fut ravi à l'idée de faire autre chose que la navette entre la propriété et le bureau de Reboul.

— Si ce type nous file, reprit Sam, il faut trouver un endroit où nous pourrions nous arrêter et discuter avec lui. Voyez-vous quelque chose qui ferait l'affaire ?

Olivier ajusta ses lunettes de soleil tout en réfléchissant.

— Pas de souci. J'ai une idée, dit-il en prenant son portable. Donnez-moi juste une minute.

Quand il eut terminé sa conversation, il exposa son plan. Il venait d'appeler Ahmed, le jardinier du Pharo, un gaillard à la carrure intimidante. S'ils étaient suivis, il rappellerait Ahmed, lui donnerait des instructions détaillées sur l'endroit où ils se trouvaient pour que ce dernier suive le suiveur, qui deviendrait ainsi le dindon de la farce.

— Après ça, conclut Olivier, il s'agira juste de dénicher un endroit tranquille, *et voilà.*

— Vous avez déjà fait ce genre de choses ? demanda Sam, impressionné.

— Oh, une ou deux fois. Avant de travailler pour M. Reboul, j'étais flic. D'ailleurs, j'ai toujours mon flingue. Mais que ça reste *entre nous,* dit-il en mettant un doigt sur ses lèvres.

Alors qu'ils sortaient de l'allée de la propriété, Sam jeta un coup d'œil par-dessus le journal derrière lequel il se dissimulait pour voir s'il apercevait la Peugeot.

— Je ne la vois pas, dit-il.

— Ne vous en faites pas. Si c'est un pro, il aura changé de voiture et n'attendra certainement pas au même endroit.

Olivier s'était maintenant engagé dans un labyrinthe de petites rues derrière le Vieux-Port et jetait toutes les secondes un coup d'œil dans le rétroviseur. Avec un brusque coup d'accélérateur, il franchit le carrefour au moment précis où le feu passait au rouge, puis il ralentit.

— Ah, te voilà, mon salaud. Surtout, ne vous retournez pas, dit-il à Sam. C'est une Renault grise avec une plaque de voiture de location, elle roule à une vingtaine de mètres derrière nous.

Olivier prit son portable pour appeler Ahmed et le pria de les retrouver dix minutes plus tard rue Paradis devant la Banque de France et de suivre la Renault grise qui roulerait à quelques mètres derrière lui.

— Maintenant, je ne veux surtout pas le perdre, dit Olivier. Comme nous disposons de quelques minutes, nous allons sans nous presser rejoindre la rue Paradis. Ça devrait faire l'affaire.

En arrivant, ils découvrirent Ahmed, garé en double file devant la Banque de France, en train d'étudier sous le capot de sa camionnette un problème mécanique imaginaire. Olivier fit un appel de phares. Ahmed referma le capot, se remit au volant et se glissa dans le flot de la circulation deux voitures derrière la Renault.

Le cortège des trois véhicules largement espacés les uns des autres traversa sans hâte le centre de la ville.

— Vous vous souvenez de l'autre maison de M. Francis, celle où vous logiez la dernière fois que vous êtes venus ?

— C'est là que nous allons ?

— Pas tout à fait. Au bout de cette route, il y a un *rond-point*. On a l'impression qu'il mène quelque part, mais en réalité la route se termine là.

Ils continuèrent à rouler, traversant le VII<sup>e</sup> et le VIII<sup>e</sup> arrondissement, où un bon nombre des résidents les plus fortunés de la ville occupaient de vastes demeures dissimulées derrière de hauts murs de pierre. La circulation était assez fluide et la Renault les suivait à une certaine distance sur la route sinueuse. Ils passèrent devant l'ancienne maison de Reboul.

— Ce n'est plus très loin maintenant, annonça Olivier.

Il appela Ahmed et lui demanda de se rapprocher de la Renault.

Encore deux cents mètres, un dernier virage et la route, n'ayant plus maintenant qu'une seule voie, prit fin devant un petit rond-point. La Renault amorça le dernier virage et s'arrêta net derrière celle d'Olivier, tandis que la camionnette d'Ahmed se garait juste après. Le conducteur de la Renault ne pouvait plus bouger : son conducteur était coincé.

Sam et Olivier s'approchèrent à pied de la voiture, près de laquelle Ahmed les attendait les bras croisés, fixant d'un regard noir Rocca, le conducteur, recroquevillé derrière son volant, l'image même de l'appréhension. Olivier ouvrit la portière et, de son ton de policier le plus menaçant, il lui ordonna de descendre.

— Personne ne passe par ici, dit-il. Nous pouvons avoir une petite conversation sans crainte d'être dérangés. Maintenant, montrez votre permis et donnez-moi votre portable.

Rocca aurait pu envisager un instant de protester. Mais, avec ces trois grands gaillards à l'air peu avenant, il se ravisa et fit ce qu'on lui demandait. Olivier nota des informations relevées sur le permis et le lui rendit. Cependant, il conserva le portable.

Puis, poussé par Sam, Olivier entreprit de cuisiner Rocca. Qui l'avait engagé ? Comment Rocca prenait-il contact avec les autres ? Où se voyaient-ils ? Quand devait avoir lieu leur prochain rendez-vous ? Pourquoi s'intéressaient-ils à Reboul ? Que cherchaient-ils exactement ?

Pour bien des questions, Rocca n'avait pas de réponse et ils comprirent rapidement qu'à part l'histoire de filature, il n'était au courant de rien. Au bout de vingt minutes, ils décidèrent de le laisser partir.

Le moteur tournant et sa vitre ouverte, Rocca rassembla tout son courage pour demander qu'on lui rende son portable. Olivier se pencha et fixa sur lui un regard impénétrable derrière ses lunettes de soleil.

— Estime-toi heureux de récupérer ta voiture, dit-il en donnant une claque sur le toit.

Rocca démarra sans demander son reste.

# 10.

Reboul arpentait la terrasse, impatient d'avoir des nouvelles. Il écouta avec attention le rapport que lui rendit Sam.

Grâce au permis de conduire, ils connaissaient l'identité de Rocca, ainsi que son adresse, qu'il leur avait donnée à regret. Ils étaient convaincus qu'il ne savait pas grand-chose, à part le nom de l'homme qui l'avait engagé, qui semblait aussi faux que l'histoire qu'il lui avait servie comme prétexte. Quant au signalement de cet homme, il pouvait correspondre à celui de n'importe quel individu portant un panama, une chemise blanche et des lunettes de soleil. Seul digne d'intérêt était le numéro de téléphone qu'on avait donné à Rocca et qu'il devait appeler chaque soir pour faire son rapport. Sur le portable de Rocca, le nom de Martin figurait bien en face du numéro, mais c'était également le nom de plus de deux cent vingt mille autres familles françaises, l'équivalent de M. Smith pour un Anglo-Saxon.

Reboul semblait découragé.

— Alors, où cela nous mène-t-il maintenant ?

— Eh bien, dit Sam, nous avons ce numéro de téléphone, c'est un début. Appelons pour voir qui répond et essayons d'obtenir un vrai nom. Je crois que je connais justement la personne qui réussirait à faire ça sans éveiller de soupçons : Mimi.

Sam lui téléphona et lui expliqua le problème ainsi que l'idée qu'il avait : Mimi devait se faire passer pour quelqu'un qui faisait une enquête de satisfaction auprès des abonnés d'un opérateur téléphonique.

— Si tu pouvais obtenir son adresse en même temps que son nom, ajouta Sam, ce serait formidable.

Sam crut presque entendre Mimi secouer la tête.

— Mais son opérateur posséderait déjà tous ces renseignements, expliqua-t-elle. Pourquoi ne pas d'abord vérifier auprès d'eux ?

Ce que fit aussitôt un ami policier d'Olivier, qui leur apprit que l'abonné n'était pas une personne physique mais la société Escargots Investissements, domiciliée à Monaco.

Il y eut un silence, vite rompu par Sam.

— J'ai une vieille copine à Wall Street, qui fait des investigations pour une banque d'affaires. Elle est spécialisée dans les renseignements confidentiels sur les sociétés. Tu lui donnes le nom de n'importe quelle entreprise enregistrée n'importe où dans le monde, et elle trouve le propriétaire. (Sam regarda les autres et haussa les épaules.) Ou bien nous pourrions partir tenter notre chance à Monaco.

Elena était séduite par l'idée d'aller à Monaco, qu'elle ne connaissait pas, et demanda tout naturellement :

— Pourquoi ne pas faire les deux ?

L'action est le moteur du progrès, on convint donc rapidement que c'était la bonne solution. Il n'était que sept heures trente à New York, mais comme à Wall Street on commençait tôt, l'amie de Sam répondit dès la seconde sonnerie.

— Gail ? C'est Sam, ton vieil admirateur. Es-tu toujours aussi belle ? (Il fit la grimace et éloigna le téléphone de son oreille.) C'est vrai que je ne donne pas souvent de mes nouvelles. Je suis vraiment désolé, mais j'ai beaucoup voyagé. Gail, écoute : je suis sur une affaire en France et j'aurais besoin de quelques renseignements sur une société à Monaco.

Sam dut encore supporter durant quelques minutes les affectueux reproches de Gail avant qu'elle ne se calme et accepte de voir ce qu'elle pourrait dénicher sur Escargots Investissements en échange d'un déjeuner – un long déjeuner – au restaurant *Daniel*, la prochaine fois qu'il serait à New York.

Sam et Elena partirent le lendemain matin de bonne heure pour Monaco. Reboul avait insisté pour qu'Olivier les conduise puisqu'il connaissait l'endroit et avait là-bas, disait-il, une vieille tante qu'il serait ravi de revoir. Comme ils quittaient Marseille et gagnaient l'autoroute, Elena, toujours avide d'informations sur toute nouvelle destination, se plongea dans un guide emprunté dans la bibliothèque de Reboul. Elle fit profiter Sam de ses connaissances fraîchement acquises : Monaco, avec sa superficie d'un peu plus de deux kilomètres carrés, pouvait facilement tenir dans Central Park à New York. La population d'environ trente-six mille habitants était composée de ressortissants de cent vingt nationalités différentes. La première pierre du château, résidence du prince régnant, avait été posée le 10 juin 1215.

— Le matin ou l'après-midi ? demanda Sam, qui ne portait aux statistiques qu'un intérêt limité.

Elena poussa un soupir et poursuivit.

— Pour attirer de nouveaux habitants, les premiers dirigeants instaurèrent un système fiscal attractif.

— Autrement dit, les résidents ne paient pas d'impôts. C'est sympa.

Avec beaucoup de tact, Olivier interrompit la conférence sur Monaco en demandant s'ils avaient des projets pour le déjeuner et s'ils ne voyaient pas d'inconvénient à ce qu'il s'éclipse pour aller voir sa tante.

Olivier les déposa place du Casino, où Sam fut immédiatement attiré par un des paysages qui le séduisaient le plus en France : une longue terrasse à l'ombre agrémentée d'un bar et d'un restaurant. C'était le *Café de Paris* qui, aussitôt, parut à Sam un endroit idéal pour déjeuner. Cependant, pour se mettre en appétit, il voulut d'abord visiter le siège d'Escargots Investissements.

L'adresse fournie par l'opérateur téléphonique se révéla être celle d'un immeuble d'appartements situé non loin du casino. À en juger par les douzaines de discrètes plaques de cuivre qui tapissaient le hall, il semblait abriter nettement plus de sociétés que de résidents. Et, parmi celles-ci, au quinzième étage, se trouvait Escargots Investissements.

Le bureau était signalé par une autre plaque de cuivre fixée sur une lourde porte à l'imposante serrure. Sam appuya sur le bouton de la sonnette, et une voix métallique lui demanda de décliner son identité et de préciser l'objet de sa visite.

— Mon nom est Phillips, déclara Sam. Herr Trauner, mon banquier à Zurich, m'a conseillé de venir vous voir pour discuter d'un projet d'investissement.

Un déclic, la porte s'ouvrit, Elena et Sam pénétrèrent dans un petit salon élégamment décoré dans des tons gris. Une réceptionniste, tout aussi élégante, était installée derrière un bureau totalement nu à l'exception d'un vase de roses blanches et d'un numéro de *Vogue* ouvert.

— *Bonjour*, dit-elle. Je ne crois pas que vous ayez rendez-vous ?

— Nous venons justement pour ça. (Sam tapota ses poches pour en extraire un agenda.) Voyons… on m'a conseillé de demander un M. Martin.

La réceptionniste prit un air étonné, dérangeant ainsi la symétrie de deux sourcils parfaitement épilés.

— Je suis désolée. Il n'y a personne de ce nom ici. Ne serait-ce pas plutôt M. Morton ?

Sam se frappa le front.

— Bien sûr, dit-il. Je n'ai vraiment pas la mémoire des noms. M. Morton aurait-il un moment pour nous recevoir ?

Le froncement de sourcils s'accentua ; la réceptionniste se confondit en excuses. M. Morton était à Shanghai en voyage d'affaires et il n'y avait personne d'autre de disponible.

— C'est un fâcheux contretemps. On ne peut pas dire que ce soit une réussite, constata Sam. Enfin, peut-être qu'un petit verre de rosé nous aiderait.

Ils étaient assis à la terrasse du *Café de Paris*, en face du casino. Elena, dont Sam connaissait la fascination pour les détails macabres, examinait la façade de l'établissement.

— Ces types, les gros joueurs qui perdent leur fortune aux tables de jeu, dit-elle, où crois-tu qu'ils vont se suicider ?

— Tu as raison de me poser la question, dit Sam. Généralement là-bas, sous un des grands palmiers. Sinon, je suis certain que tu découvriras dans ton guide une liste de plusieurs autres endroits possibles. À la lettre S.

Le vin arriva et ils s'installèrent confortablement pour jouir du spectacle sans cesse renouvelé de la foule bigarrée de touristes qui chaque été envahissent Monaco. Comme toujours, les tenues des femmes étaient plus intéressantes que les éternelles casquettes de baseball et les pantalons en toile des hommes : Sam appréciait particulièrement cette mode des shorts ultracourts que les femmes portaient avec des chaussures à talons compensés. Elena semblait moins impressionnée par les jupes blanches ou les robes froufroutantes, qui lui rappelaient les anciens abat-jour de sa grand-mère. Elle était lancée sur le sujet de « ces tenues pour filles de dix ans aux jambes bien bronzées » quand le portable de Sam se mit à sonner.

C'était Gail qui appelait de New York où il était à peine plus de sept heures du matin.

Quand Sam la félicita de ce lever matinal, elle rétorqua qu'elle revenait de sa salle de gym et qu'elle avait déjà pris son petit déjeuner protéiné.

— Écoute, dit-elle, à propos de cette boîte, Escargots Investissements… c'est une entreprise compliquée, qui me fait penser qu'elle cache quelque chose. La société est domiciliée à Monaco, mais elle appartient à un trust dont le siège est situé dans les îles Caïman, lequel est à son tour la propriété d'une *Anstalt* – une société par actions au Lichtenstein –, avec des filiales à Zurich et Nassau. Autrement dit, le véritable propriétaire tient à rester anonyme.

— Mais il doit bien y avoir quelque part des gens avec des noms, interrogea Sam.

— Bien sûr, des hommes de paille, des avocats du pays en général. Ce qui ne mène nulle part. Je vais quand même essayer d'obtenir d'autres renseignements. J'ai un ami à Nassau à qui j'ai rendu service. Je vais lui demander ce qu'il peut dénicher.

— Gail, tu es une princesse.

— Sam Levitt, je n'ai qu'un mot à te dire : Daniel.

Sur quoi, elle raccrocha.

Pendant que Sam était en grande conversation, Elena avait étudié la carte et hochait maintenant la tête avec une évidente satisfaction.

— Foie de veau au bacon – on n'en trouve plus à New York – et profiteroles au chocolat, annonça-t-elle. (Elle referma la carte avec un claquement sec et se pencha vers Sam.) Alors, dis-moi ce que ton espionne a trouvé ?

Une heure s'écoula fort agréablement. Ils buvaient leur seconde tasse de café lorsque Elena contempla par-dessus la monture de ses lunettes la place du Casino.

— Tiens, tiens, tiens. Regarde qui est là, avec sa vieille tante chérie.

Et en effet, au milieu de la foule, ils aperçurent Olivier qui se promenait, un bras passé autour de la taille d'une très jolie blonde qui ne devait pas avoir plus de vingt-cinq ans.

— J'avais déjà remarqué qu'ils avaient des tantes extrêmement jeunes par ici, dit Sam. Ce doit être le climat méditerranéen. (Il prit son portable et appela Olivier.) Pourriez-vous venir nous prendre dans une dizaine de minutes ? Nous sommes au *Café de Paris*.

Olivier se retourna et les aperçut. Il eut un grand sourire et leva le pouce en un geste complice avant que sa délicieuse tante et lui ne disparaissent dans la cohue.

Pendant le trajet du retour, Elena s'assoupit et Sam passa en revue les progrès accomplis. Pas terribles, il devait en convenir. Vraiment pas terribles.

# 11.

Oleg Vronsky n'était pas content. En faisant suivre la voiture de Reboul, il avait seulement appris que ce dernier s'en était aperçu et qu'il était parfaitement capable de réagir.

— Ce n'est pas un imbécile, déclara-t-il à Nikki, il se rend compte de ce qui se passe. Je ne sais pas dans quelle mesure il est renseigné mais il y a des chances pour qu'on découvre que je suis dans le coup, et ça ne me plaît pas du tout.

Nikki leva les yeux de *Body Beautiful*, le magazine qu'il était en train de lire, et approuva d'un air compatissant.

À bord du *Caspian Queen*, ils voguaient vers l'est en suivant la côte en direction du cap d'Antibes. Vronsky devait déjeuner avec Sergei Kalinine, un vieil ami de Moscou qui entretenait des relations mystérieuses mais apparemment fort lucratives avec le ministère chargé d'exploiter le gaz naturel russe.

Comme bon nombre de ses riches compatriotes, il avait décidé qu'une grande villa au cap d'Antibes offrait à bien des égards autrement plus d'attraits qu'une *dacha* perdue au cœur des forêts humides et sombres des abords de Moscou ou même qu'un palais princier sur la plage de Sochi. D'abord, on y mangeait mieux, et puis il y avait un plus grand choix de jolies filles. Le déjeuner promettait donc d'être agréable.

Il était cependant peu probable que ces retrouvailles aident Vronsky à devenir propriétaire du Pharo : un objectif qu'il méritait d'atteindre, il en était convaincu. Il connaissait une réussite sans pareille et comptait parmi les hommes les plus riches du monde. Depuis des années, il avait toujours obtenu ce qu'il voulait. Et voilà maintenant que le seul obstacle qui se dressait entre lui et son rêve, c'était cette foutue tête de mule, cet arrogant trou-du-cul de Français.

Nikki côtoyait Vronsky depuis suffisamment longtemps pour être devenu un expert dans l'art de deviner son humeur, et la frustration de son patron était de plus en plus évidente. D'ailleurs, Nikki commençait aussi à en avoir assez de ne pas voir cette affaire progresser et envisageait d'avoir recours à certaines solutions extrêmes. Un enlèvement ? Une bombe dans la voiture de Reboul ? Un peu de cyanure dans son whisky ? Le problème, il en avait conscience, était que Vronsky, une fois propriétaire du Pharo, avait l'intention de s'y établir. Mieux valait donc ne pas attirer l'attention de la police locale. Il fallait éviter tout scandale. Quel que soit le sort réservé à Reboul, cela devait se passer hors de la ville. Mais où ? Et comment ?

Le *Caspian Queen* arrêta ses machines et dériva doucement jusqu'à quelques centaines de mètres du rivage. On mit à l'eau un des Riva pour le court trajet jusqu'à la jetée privée où les attendait Kalinine : un petit homme trapu vêtu d'un short en tissu de camouflage, d'une chemise sur laquelle était inscrit un superbe « I love Poutine » et coiffé d'une casquette de yachtman.

— Oli !

— Sergei ! Ça fait si longtemps !

— Trop longtemps !

Les deux hommes s'étreignirent à la russe, c'est-à-dire comme deux lutteurs, chacun cherchant l'occasion d'infliger à l'autre une imparable clef à la hanche. Puis, se tenant par les épaules, ils reculèrent tous deux pour le rituel échange d'insultes.

Vronsky, s'adressant au corpulent Kalinine :

— Oh là là… je vois que le régime n'a pas marché !

Kalinine, répliquant à Vronsky, plus petit que lui :

— Tiens ! Tu as renoncé à porter des talonnettes ?

Suivit un grand échange de claques dans le dos, puis Vronsky présenta Nikki et les trois hommes remontèrent une allée bordée de pins parasols vers ce que Kalinine appelait sa « petite maison de campagne ».

C'était en fait un château, construit dans les années trente, dont le stuc avait pris des couleurs d'un rose un peu passé.

— Nabokov était autrefois le seul Russe à habiter par ici, dit Kalinine. Maintenant, nous sommes partout ! Vladimir – tu te souviens de lui ? – a une villa un peu plus haut sur la route et les frères Oblomov occupent celle d'en face. Justement, ils viennent déjeuner. Vladimir tient une bonne petite affaire à Nice – tu devrais voir les filles qu'il a ! – et les Oblomov sont très copains avec la mafia corse. Comme tu vois, la vie suit son cours. Maintenant, que veux-tu boire ? Je te recommande un Dom Pérignon 1996 pour te rincer la gorge.

Le déjeuner se poursuivit dans cette humeur joviale avec champagne, blinis, caviar et homard. Des filles en bikini passèrent devant eux en sortant de la piscine et Kalinine clama quelques mesures de chanson russe au moment du café. Vronsky, bien qu'il s'amusât, paraissait préoccupé. Cette allusion à la mafia corse l'avait rendu songeur.

Après le repas, pour regagner le *Caspian Queen*, le Riva emmena deux passagers supplémentaires : Sasha Oblomov et Igor, son cousin germain. Malgré ce degré de parenté relativement lointain, ils partageaient depuis leur jeunesse une même passion pour les activités criminelles, possédaient un goût prononcé pour l'argent et n'avaient jamais cessé de travailler ensemble. Sur l'invitation de Vronsky, ils avaient accepté de venir à bord pour discuter de ce que ce dernier appelait « un projet intéressant ».

Ils s'installèrent tous les quatre dans des fauteuils disposés autour d'une table basse dans la cabine de Vronsky tandis qu'un steward apportait des cigares et servait des armagnacs. Le code vestimentaire était de toute évidence assez flexible : Vronsky portait un costume de lin soigneusement repassé, Nikki un jean blanc et un T-shirt noir, et les deux Oblomov étaient vêtus d'un maillot de corps froissé et d'un short en tissu de camouflage, apparemment la tenue de rigueur pour les résidents russes du cap d'Antibes.

Vronsky attendit le départ du steward pour ouvrir la discussion.

— J'ai un problème à Marseille, commença-t-il, et notre bon ami Sergei m'a confié que vous pourriez m'aider. (Il considéra avec soin le bout rougeoyant de son cigare, comme pour y chercher l'inspiration.) J'espère qu'il ne s'est pas montré indiscret, mais il a mentionné que vous avez – comment dire ? – des contacts en Corse.

Il regarda les Oblomov qui froncèrent les sourcils d'un air étonné. Ils haussèrent les épaules à l'unisson, réaction que Vronsky choisit de prendre pour une confirmation. Il poursuivit donc sous leur regard impassible, expliquant son problème et la solution qu'il envisageait pour le résoudre, en substance tout du moins. Les détails viendraient plus tard.

Se carrant alors dans son fauteuil, il ralluma son cigare.

— Des questions ?

Sasha Oblomov leva sa main droite vers Vronsky, en frottant son pouce contre son index, geste qui dans le monde entier signifie « argent ». Vronsky sourit.

— Bon, dit-il. Maintenant, nous pouvons discuter.


Francis Reboul retrouvait son sang-froid après les moments d'inquiétude et d'irritation causés par l'attitude de Vronsky. Deux jours s'étaient écoulés sans incident et il semblait ne plus être suivi. La vie avait repris son cours normal tandis que Sam et Elena continuaient avec entrain à chercher un appartement.

Cette trêve s'acheva ce soir-là à l'heure de l'apéritif quand Sam annonça qu'il avait reçu d'autres nouvelles de son espionne de Wall Street.

— Gail vient d'appeler, annonça-t-il. Je ne sais pas comment elle s'y est prise, mais elle a réussi à creuser derrière les sociétés offshore et trusts bidons, et nous savons maintenant qui est le propriétaire d'Escargots Investissements. (Il prit une grande inspiration.) Je crains, comme nous le suspections, que ce soit Vronsky. Ce qui signifie, je présume, que c'est probablement lui qui t'a fait suivre.

Sam vit Reboul se crisper ; les rides de chaque côté de sa bouche se creusèrent, la colère s'affichant sur son visage. Il se maîtrisa avec un effort manifeste et déclara :

— J'aimerais passer en revue tous les faits depuis le début. (Il consulta sa montre et étouffa un juron.) Sam, ce soir, j'ai un rendez-vous, mais pourrions-nous parler de tout cela demain matin de bonne heure ?

Le lendemain, Reboul était toujours tendu et en proie à une colère qui ne fit que croître à mesure que Sam et lui évoquaient les incidents des derniers jours : du survol de la propriété en hélicoptère jusqu'à la filature, en passant par le numéro de Vronsky à la soirée de charité et son apparition le lendemain dans l'allée de Reboul.

— Écoute, ce type est au mieux un foutu casse-pieds et au pire un dangereux obsédé, mais il n'a enfreint aucune loi. Tout ce que peut faire la police, c'est ne pas le perdre de vue.

Reboul marchait de long en large, les poings serrés.

— J'en ai assez, dit-il. Je veux en finir avec lui et lui dire en face que s'il ne me laisse pas tranquille, cela aura des conséquences.

— Désolé, Francis, dit Sam en secouant la tête, mais ce n'est pas une bonne idée. Tu ne réussiras ainsi qu'à le rendre encore plus déterminé. Des gens comme lui, j'en ai déjà rencontré : ils ne renoncent pas facilement. Et n'oublie pas qu'au moins trois personnes qui se sont mises sur son chemin ont trouvé la mort dans des circonstances plutôt suspectes. (Sam s'approcha et passa un bras autour des épaules de son ami.) Crois-moi, ce n'est pas le moment de s'emballer en espérant que tout va s'arranger. Dis-toi, poursuivit Sam, que pour le moment, Vronsky connaît plus de choses sur toi que toi sur lui. Il serait utile, par exemple, de savoir s'il compte rester à Marseille. À en juger par ses antécédents, l'avoir sous la main pose sans doute moins de problèmes que le savoir au loin. Qu'en penses-tu ?

— Certainement. Plus tu en sais, mieux ça vaut. Mais je nous vois mal l'appeler pour lui demander ses projets.

— Eh bien, dit Sam, je connais quelqu'un qui peut le faire. Notre journaliste préféré.

# 12.

— Philippe ?

— Qui est à l'appareil ? Quelle heure est-il ?

— L'heure pour le meilleur journaliste de Marseille de se mettre au travail. C'est Sam.

— Oh, grommela Philippe en s'asseyant dans son lit. Est-ce urgent ?

— Mieux que ça. C'est l'occasion pour toi de faire une bonne action pour rendre service à ton ami Francis.

— Qu'est-ce qu'il a fait ?

— Il ne s'agit pas de lui, mais de Vronsky. Nous sommes certains qu'il a fait suivre Francis et Dieu sait ce qu'il va essayer encore. Nous avons vraiment besoin d'en savoir plus sur lui. Dis-moi… t'a-t-il recontacté à propos de l'interview que tu devais faire à bord de son yacht ?

— Non. Il doit m'appeler, mais il ne l'a pas encore fait.

— Eh bien, j'ai une idée qui pourrait lui plaire.

D'abord ensommeillée, la voix de Philippe se mit à vibrer de curiosité.

— Je suis tout ouïe.

— C'est quelque chose qui peut flatter sa vanité et lui donner l'occasion d'être mieux connu à Marseille... une de ses grandes ambitions. Voici l'idée. Tu as vendu à ton journal une série de portraits exceptionnels des Amis de Marseille, et comment mieux l'inaugurer qu'avec le plus généreux *ami* d'entre eux, M. Vronsky ?

— Mais je l'ai déjà fait, tu te souviens ? Après la vente aux enchères.

— Oui, fit Sam, mais c'était juste une esquisse. Je pense à un portrait plus fouillé du personnage : ses espoirs, ses rêves, quelques confidences – bref, le grand jeu. Tu sais comment sont les riches. Ils ont tous un ego surdimensionné, ils adorent parler d'eux, et ton avantage, c'est qu'il a aimé l'article que tu as écrit sur lui.

Sans lui laisser le temps de répondre, Sam glissa son appât. Comme il connaissait le penchant de Philippe pour les bons déjeuners en général et ceux au *Bistrot d'Édouard* en particulier, il l'invita à se retrouver plus tard au restaurant, où ils pourraient discuter tranquillement de cette affaire. Philippe céda devant l'irrésistible logique des arguments de Sam. D'accord donc pour le déjeuner.

Sam reposa son portable pour regarder Elena assise en face de lui à la table du petit déjeuner. Elle était penchée sur le *New York Times*, l'air absorbé, oubliant son café et son croissant, avec cette expression que Sam ne connaissait que trop bien qui signifiait : « Ne pas déranger. » Elle termina l'article qu'elle était en train de lire, poussa un grognement méprisant et, du revers de la main, repoussa le journal.

— Mon Dieu, ils me rendent malade, ces bons à rien de Washington, lança-t-elle. Plus tôt on les renverra chez eux pour les remplacer par des femmes, mieux ça vaudra. (Le sujet l'échauffant de plus belle, elle agita devant Sam un doigt agressif.) Comment peut-on être à la fois contre l'avortement et pour le port d'armes ? Ces idiots pérorent sur le caractère sacré de la vie humaine – même quand l'être humain en question n'est pas encore né –, et pourtant eux et leurs petits camarades de la NRA[1] choisissent d'ignorer le fait que les armes à feu tuent chaque année des milliers d'Américains. Ça n'a vraiment pas de sens !

Elena laissa Sam méditer sur cette intéressante question pendant qu'elle attaquait son croissant. En fait, il était depuis des années insensible aux charmes des politiciens, quel

_____

1. National Rifle Association : association ayant pour but d'autoriser le port d'armes à tous les citoyens américains. *(N.d.T.)*

que soit leur parti, et il s'étonnait toujours qu'on puisse prendre au sérieux ces moulins à paroles. Comme Elena jugeait ce point de vue constitutionnellement irresponsable, il préféra changer de sujet et choisir un terrain moins risqué.

— Que dirais-tu de venir déjeuner avec deux admirateurs ? demanda-t-il. Philippe et moi.

Elena leva les yeux vers lui en souriant, soudain rassérénée.

— Je crois que je pourrais me libérer.

Cela faisait bien deux ans que Philippe leur avait fait découvrir *Le Bistrot d'Édouard* et, pour Elena et Sam, le coup de foudre avait été immédiat. Elena se souvenait encore de ce qu'elle avait mangé et elle avait hâte de renouveler l'expérience. On leur avait servi un merveilleux assortiment de tapas : jambon *pata negra*, poutargue de thon avec un filet d'huile d'olive, aubergines frites parsemées de feuilles de menthe, tartare de saumon au miel et à l'aneth, fleurs de courgettes frites, artichauts, clams… quinze plats en tout, et Elena, comme elle l'avait dit, était prête à tous les goûter. Aujourd'hui pourtant, dans un élan de modération, ils se contentèrent de quatre tapas par personne qu'ils se partagèrent.

Dans tout bon restaurant, on expérimente un moment spécial juste avant d'avoir goûté sa première bouchée, un moment qui devrait être inscrit en tête du menu. C'est le plaisir de l'anticipation, l'assurance qu'on ne va pas être déçu. Votre commande passée, vous tenez votre premier verre de vin à la main, de délicieux arômes émanent de la cuisine, les serveurs s'affairent, vous entendez le doux crissement des bouchons qu'on tire des bouteilles, bref, tout se déroule comme il se doit. Vous vous adossez confortablement sur votre siège et le monde vous semble parfait.

— C'est le paradis, dit Elena.

Philippe avait réservé une table à l'étage, où les murs étaient décorés d'une frise de mots manuscrits incitant chacun à *boire, rire et chanter*. Il était encore un peu tôt pour chanter, mais tout le monde suivait avec enthousiasme les deux autres suggestions.

— Si vous êtes d'accord, déclara Sam, ce sera un déjeuner de travail. Énumérons ce que nous savons et nous pourrons ensuite décider d'une stratégie. Primo, Vronsky a terriblement envie du Pharo ; secundo, il a l'habitude d'obtenir ce qu'il veut, en s'arrangeant souvent pour que tous les obstacles, même humains, disparaissent de son chemin ; tertio, il se trouve toujours loin lorsqu'un accident fâcheux survient. (Il marqua un temps pour goûter le vin.) Mais tout homme a ses faiblesses, un point sensible qui le rend vulnérable. C'est ce que j'aimerais bien découvrir, et notre meilleure chance d'y parvenir, c'est toi, ajouta-t-il en regardant Philippe.

Avant que ce dernier eût le temps de répondre, on servit les tapas, qui occupèrent presque la totalité de la table, et tous cessèrent de penser à Vronsky pour rendre au chef l'hommage qui lui était dû.

— C'était parfait, dit Elena en sauçant avec un morceau de pain les dernières traces de miel et d'aneth qui traînaient sur son assiette. Je suis bien contente que nous n'ayons pas pris de plat principal. Vous avez vu, ils ont des *churros* et de la crème au chocolat comme desserts !

Ce fut au tour de Sam de lever les yeux au ciel. La capacité d'Elena à dévorer tout ce qui se trouvait sur son passage sans prendre un gramme demeurait un mystère pour lui.

— Bon, reprenons. Philippe, qu'en penses-tu ? Tu as bien dû interviewer quelques capitaines d'industrie dans ta carrière. J'ai l'impression qu'ils parlent facilement, non ?

— Impossibles à arrêter (Philippe but une longue gorgée de vin), dès l'instant où tu ne t'écartes pas de leur sujet de conversation favori.

— C'est-à-dire eux-mêmes ?

— Exact. Ça ne devrait pas être bien difficile de le faire parler.

Elena posa une main sur le bras de Philippe.

— Nous devons faire quelque chose. Tout cela préoccupe vraiment Francis. Je n'aime pas le voir si inquiet.

— Laissez-moi y réfléchir, reprit Philippe. Pour moi, tout dépend de son envie de devenir un notable à Marseille. Si c'est le cas – et je pense pouvoir l'affirmer –, nous ne devrions pas rencontrer de problème.

Elena lui pressa le bras.

— Rien que pour ça, dit-elle, tu as droit à un de mes *churros*.

Sam leva son verre en portant un toast.

— À toi de jouer, *jeune homme*.

Pendant ce temps, les Oblomov encombraient les lignes téléphoniques entre le cap d'Antibes et la Corse, tâtant le terrain auprès de leur réseau de Calvi et d'Ajaccio. Cependant, au sein d'une communauté aussi restreinte et soudée, rien ne pouvait passer inaperçu, surtout quand il s'agissait de meurtre et d'argent. Des oreilles traînaient toujours pour saisir certains commentaires imprudents : il ne fallut donc pas longtemps pour que les frères Figatelli, Flo et Jo, aient vent de quelque chose.

Parce qu'ils évoluaient la plupart du temps dans les cercles les moins conventionnels de la société corse, il leur arrivait souvent d'entendre des rumeurs qui ne concernaient pas un large public, et c'était en l'occurrence le cas. Maurice, leur ami et collègue occasionnel, pilier de bistrot, avait surpris des bribes de conversation donnant à penser que certains Russes de la Riviera proposaient un paquet d'argent pour faire disparaître quelqu'un. Les Figatelli, toujours à l'affût de ce genre de rumeurs, lui demandèrent de poursuivre ses investigations, avec la promesse d'un bonus s'il pouvait identifier la cible visée.

Les Oblomov commençaient à se sentir tout à fait chez eux à bord du *Caspian Queen*. Ils se retrouvaient une fois de plus, un verre de cognac à la main, dans la somptueuse cabine de Vronsky, où la conversation prit d'emblée un tour encourageant :

— Vous voulez de bonnes nouvelles, dit Sasha Oblomov, et nous vous en apportons. Il y a un homme à Calvi, Nino Zonza, avec qui nous avons travaillé sur différents projets. Il propose de nous aider.

— De quelle manière ?

— De toutes les manières. (Oblomov but une gorgée de cognac avec un frisson de plaisir.) Il pourra même se charger de l'enterrement, si vous le souhaitez.

Vronsky eut un hochement de tête approbateur. Il aimait traiter avec des professionnels qui prenaient tout en main.

— Mais n'oubliez pas, dit-il. Il n'est absolument pas question que je puisse être impliqué.

— Zonza peut le garantir, à condition que tout se passe en Corse. Certaines affaires peuvent s'y régler sans déranger les autorités françaises.

— Réfléchissez donc à ce qui pourrait attirer Reboul en Corse, dit Vronsky. En attendant, il faudrait en savoir plus sur son compte : pas seulement sur ses déplacements, mais aussi sur ses habitudes. Et, cette fois, je ne veux pas d'un amateur pour filer sa voiture. Alors, trouvez-moi quelqu'un de sérieux.

Oblomov se gratta le sommet du crâne.

— Voyons, voyons… nous recherchons quelqu'un qui ait l'expérience et les contacts nécessaires pour découvrir ses vilains secrets. (Son visage s'éclaira soudain.) Quelqu'un, par exemple, comme mon avocat de Nice spécialisé dans les divorces. Il possède un réseau d'informateurs sur toute la Côte et a découvert des choses sur ma femme qu'elle-même ne connaissait pas. En plus, c'est quelqu'un qui sait tenir sa langue.

Vronsky, également rescapé de procédures de divorce déplaisantes, fut enchanté de cette idée. Ils prirent donc toutes les dispositions nécessaires sans se douter qu'ils faisaient aussi l'objet du même genre de préparatifs.

# 13.

Vronsky avait été ravi et même flatté que Phi-lippe lui propose d'être le premier sujet d'une importante série d'interviews. Il se sentait à l'aise avec le jeune journaliste et voyait là une occasion d'être reconnu comme un des plus importants bienfaiteurs de sa ville d'adoption. Il se fit donc un plaisir d'accepter que le premier rendez-vous se passe à bord du *Caspian Queen*, où d'ailleurs le journaliste pourrait découvrir ses gadgets et sa suite.

Pour Philippe, l'interview commença sous les meilleurs auspices, avec un bref et luxueux trajet à bord d'un Riva piloté par un chauffeur. Son hôte l'attendait, tout sourire, en haut de la passerelle et Philippe comprit tout de suite qu'on allait lui sortir le grand jeu. Il aurait droit à un déluge d'amabilités et de flatteries, et Vronsky agirait sans nul doute comme si c'était le meilleur moment de sa journée. Phi-lippe avait bien souvent vu ce genre de com-portement, chez des petits fonctionnaires qui espéraient qu'une interview les propulserait vers les sommets grisants où évoluaient les grands serviteurs de l'État. Cependant, si habitué qu'il fût à ce genre de numéro, Philippe dut convenir que Vronsky amorçait là un spectacle impressionnant.

Premier acte – une brève visite guidée des attractions les plus conventionnelles d'une vie en mer toute simple : Rivas, hélicoptères, piscine d'eau douce (Vronsky ayant découvert que l'eau salée lui donnait des démangeaisons), solarium, bar en plein air et passerelle, avec sa batterie de dernières merveilles électroniques. Philippe fit de son mieux pour paraître fasciné, bien que sa première impression, qu'évidemment il garda pour lui, fût qu'il aurait mieux valu consacrer l'argent de cette extravagance flottante à acheter une somptueuse demeure à Marseille, un appartement à Paris et deux ou trois vignobles bien choisis du côté de Cassis.

Puis on passa à l'intérieur du bateau et Philippe découvrit le vaste salon et les cinq suites pour les invités, chacune avec son Jacuzzi privé et, comme le précisa Vronsky avec un sourire modeste, vue sur la mer. Ils inspectèrent ensuite une cuisine, dans laquelle un chef trois étoiles se sentirait à son aise, une cave à vin, digne d'un château classé, et une chambre froide, avec des compartiments particuliers réservés au foie gras et au caviar. Comme l'expliqua Vronsky, c'étaient ces petits détails qui faisaient du *Caspian Queen* un « second chez-soi ».

— Et, si je puis me permettre, demanda Philippe, où est ce « chez-soi » ?

— Le monde, répondit Vronsky. Le monde est mon chez-moi. Maintenant, laissez-moi vous montrer mon bureau, et puis nous pourrons nous mettre au travail.

C'était une vaste pièce, très moderne et décorée de trophées à la gloire d'Oleg Vronsky : l'énorme tête d'un ours abattu en Sibérie partageait un mur avec une gigantesque photographie de Vronsky, en habit, virevoltant dans une salle de bal avec une jolie fille dans ses bras. D'autres clichés de format plus réduit le montraient en compagnie de diverses célébrités comme en attirent souvent les riches, et on voyait aussi plusieurs lettres encadrées, en russe pour la plupart, que Vronsky expliqua provenir « d'amis haut placés ».

On servit du champagne, on offrit des cigares. Philippe sortit sa liste de questions ainsi qu'un magnétophone et l'interview commença.

Deux heures plus tard, dans un bureau plus petit et moins somptueux, à deux pas de la Promenade des Anglais, à Nice, maître Antoine Prat – avocat spécialisé dans les divorces – était penché sur un carnet et jonglait avec des zéros. Il tentait d'estimer les honoraires qu'il pourrait tirer de sa dernière affaire. Son plus récent client, Sasha Oblomov, lui avait donné pour instruction de ne pas ménager ses efforts pour découvrir tous les détails de la vie et des déplacements de Francis Reboul. Ce serait une enquête longue et complexe et, si Prat s'en chargeait, horriblement coûteuse. Il se félicita une fois de plus d'avoir choisi une carrière qui se nourrissait de la faiblesse, des égarements et de la cupidité de ses clients, trois traits de caractère qui lui avaient valu au long des années de très généreuses récompenses. Il rangea dans un tiroir le carnet où il venait de griffonner ses calculs, convoqua Nicole, sa séduisante secrétaire, et se mit à ébaucher les premières mesures à prendre.

Ce soir-là, Reboul avait décidé de mettre de côté ses soucis de la journée pour faire découvrir à Elena un de ses crus de Provence préférés, le pâle et élégant *rosé* du Château la Canorgue, un *vin bio* sans ajout de sulfites. Ce qui, assurait Reboul, en faisait un vin non seulement délicieux mais aussi bon pour la santé, une théorie qu'Elena testait avec enthousiasme. Elle se réjouissait de constater que Reboul avait retrouvé son caractère léger ; elle s'était vraiment prise d'affection pour lui et encourageait toute distraction, d'ordre liquide ou comestible, susceptible de lui remonter le moral.

Le premier verre se vida avec une surprenante rapidité, comme c'est souvent le cas.

— Ça agit vite, dit Elena. Je me sens déjà mieux.

Reboul lui resservit du vin en souriant et était sur le point d'expliquer le rapport entre les sulfites et la gueule de bois quand Sam les rejoignit. En s'asseyant, il posa aussitôt le portable qu'il tenait à la main pour prendre un verre.

— C'était Philippe, dit-il. Il vient de se faire traiter en invité de marque sur le yacht de Vronsky.

— Je présume donc que tout s'est bien passé, dit Reboul.

— Le mieux du monde. Si Vronsky n'avait pas eu un rendez-vous pour dîner, Philippe serait encore à bord.

— A-t-il trouvé quelque chose d'intéressant ? interrogea Elena.

— Rien de spectaculaire, dit Sam. Il est sans doute trop tôt pour s'attendre à une indiscrétion. Mais Vronsky veut une autre séance, cette fois avec un photographe, alors ça semble plutôt bien se présenter.

Reboul reposa son verre et se pencha en avant.

— Écoute, dit-il, Vronsky veut le Pharo – Dieu sait qu'il ne s'en est pas caché. Et si ce que nous avons appris est vrai, il fera tout pour y parvenir – par quels moyens et comment compte-t-il s'y prendre ? je suis désolé, mais il ne va certainement pas le dire à un journaliste.

Sam leva la main.

— On ne peut jamais prévoir ce qui pourrait lui échapper. Quand il se sentira vraiment à l'aise avec Philippe – et il semble aller dans cette direction –, il baissera sa garde. Il commencera à dire des choses pour montrer comme il est malin. Ça arrive tout le temps. Pour le moment, Philippe est le seul contact que nous ayons avec Vronsky. Je sais que c'est frustrant, mais le mieux est d'être patient et d'attendre que Vronsky se dévoile. Et, d'ici là, nous montrer prudents. Très prudents.

Pendant le dîner, sur le conseil de Sam, ils se mirent à établir une liste de sujets et de questions que Philippe devrait aborder lors des prochains rendez-vous avec Vronsky. Mais il leur serait difficile de faire preuve de patience.

# 14.

C'était une belle soirée corse et les frères Figatelli attendaient, comme convenu, devant l'entrée de leur bar de Calvi, non loin de la maison natale de Christophe Colomb. Ils avaient dû patienter plusieurs jours pour obtenir une audience de l'homme qu'ils allaient voir, et encore était-ce grâce à un petit service qu'ils lui avaient rendu l'an passé. Ils avaient suggéré de se retrouver dans l'arrière-salle du bar, mais leur contact, un homme prudent, préférant ne pas être vu avec eux, envoyait une voiture pour les emmener dans un lieu plus discret.

Avec une ponctualité rare en Corse, une grosse Renault grise s'arrêta exactement à l'heure convenue. Elle était conduite par un homme qui, à première vue, semblait ne pas avoir de cou : juste une tête massive émergeant d'épaules qui l'étaient encore plus. Il fit signe aux Figatelli de monter dans la voiture, puis il démarra, ignorant leurs tentatives pour engager la conversation. Quelques minutes plus tard, il stoppa devant une vieille maison usée par les ans dans un vieux quartier de la ville. Un autre géant ouvrit la porte, sa forte stature mise en valeur dans un T-shirt moulant. Il fit descendre les Figatelli par un passage mal éclairé jusqu'à une salle caverneuse au plafond voûté avec pour tout signe de vie la vague lueur d'un écran de téléviseur muet.

C'était le quartier général de Nino Zonza, qui, depuis presque cinquante ans, était un personnage influent, encore que peu connu, de la pègre corse. Ceux qui le connaissaient bien appréciaient l'étendue et l'exactitude de ses informations. La légende disait que si on se grattait le derrière à Ajaccio, la nouvelle parvenait dans l'heure à Zonza dans son repaire de Calvi.

— Entrez. Asseyez-vous.

Une voix frêle mais rauque émanait du fond de la pièce. Leur hôte, un petit homme chauve, blanchi par les années, était assis au bord d'un fauteuil beaucoup trop grand pour lui. Il dévisagea les frères Figatelli à travers le verre épais de ses lunettes de soleil.

— Je me souviens de vous deux, dit-il. Vous m'avez rendu service. Que voulez-vous donc d'un vieil homme comme moi ?

— C'est un plaisir de vous revoir, monsieur Zonza, dit Jo. Et nous apprécierions beaucoup votre aide. (Zonza inclina la tête, les verres de ses lunettes noires reflétant la lumière de l'écran de télé.) Nous avons entendu une rumeur. Il paraît que des Russes de la Riviera cherchent des renseignements pour un travail qu'ils voudraient confier à quelqu'un. Une dis-parition.

— Ah oui, dit le vieil homme. On entend de plus en plus ce genre de rumeurs aujourd'hui. (Il secoua la tête en souriant.) Nous vivons dans un monde bien dangereux.

Jo sourit à son tour.

— Certainement. On dit justement qu'il s'agirait d'un important homme d'affaires mar-seillais. Et, comme nous avons beaucoup d'amis à Marseille, nous aimerions savoir qui ça pourrait être. (Jo écarta les mains en haussant les épaules.) Au cas où nous pour-rions aider.

— Bien entendu, dit Zonza. Je comprends votre intérêt. Mais une information de ce genre – si délicate, si confidentielle – n'est jamais facile à trouver. Et, naturellement, jamais donnée gratuitement.

— Bien sûr, bien sûr. Et nous serions heureux de…

Zonza leva une main mouchetée de taches de vieillesse.

— Il sera toujours temps de parler d'ar-gent si le renseignement devient disponible. Laissez-moi y réfléchir. Si j'entends parler de quoi que ce soit, je laisserai un message à votre bar.

— Vous connaissez l'adresse ?

Zonza sourit, découvrant une collection de dents en or.

— Je connais tout de Calvi.

Une fois les Figatelli reconduits jusqu'à la porte, Zonza se versa un verre de liqueur de *myrte* et considéra sa position. La semaine précédente, on lui avait demandé de réfléchir à une proposition séduisante des frères Oblomov. Il semblait maintenant que les Figatelli étaient dans le coup et il préférait infiniment faire affaire avec des compatriotes ; dans la mesure, naturellement, où ils seraient prêts à se montrer à la hauteur de l'offre des Russes. Mais, se dit-il, inutile de se précipiter. En fait, il serait peut-être possible de duper les deux parties, en les faisant payer tous les deux. Intéressant. Il se versa un second verre de *myrte*, augmenta le son de la télévision et se carra dans son fauteuil pour regarder la rediffusion d'un épisode de *Dallas*.

Assis devant un café dans l'arrière-salle de leur bar, les Figatelli partageaient leurs impressions.

— Ma foi, dit Flo, est-ce que je deviens soupçonneux avec l'âge, ou en sait-il plus qu'il veut bien le dire ?

— Il doit être au courant de tout. Si Maurice a pu en entendre parler dans un moment de lucidité, Zonza, avec le réseau qu'il possède, doit certainement tout savoir. Combien de gens sont dans la rue, l'oreille aux aguets, à travailler pour lui ? Une douzaine ? Cinquante ? Il est sûrement au courant.

Les deux frères restèrent un moment silencieux, à chercher un moyen d'amener Zonza à leur raconter ce qu'il savait. Mais, ils devaient bien en convenir, ce n'était pas un homme à réagir gentiment à la pression. Le menacer était hors de question. L'argent pouvait le décider, mais combien faudrait-il mettre ?

— Si nous découvrons qui sont ces Russes, ça nous donnerait au moins quelques pistes, dit Jo. (Il prit son téléphone.) Faisons venir Maurice ici. Il se rappellera peut-être d'où il a eu son information.

Maurice fit comme d'habitude une entrée furtive, comme s'il s'attendait à se faire tabasser. Petit et brun, avec une barbe mal taillée, il se vantait de son apparence quelconque. « Tout le monde peut se perdre dans une foule, se plaisait-il à dire, mais moi, on ne me repère même pas dans une pièce vide. »

Et c'était vrai. Comme un caméléon, il était capable de se fondre dans le décor. C'était un formidable atout pour quelqu'un qui avait toujours l'oreille tendue.

Il accepta un verre de whisky corse et considéra les Figatelli d'un regard plein d'espoir, la possibilité d'une nouvelle mission n'étant jamais loin de ses pensées.

— Tu te rappelles cette rumeur que tu as entendue ? demanda Flo. À propos de ces deux Russes ?

— Ne me bouscule pas, dit Maurice en levant les bras au ciel. J'ai entendu parler de quelque chose, mais ces choses-là ne passent pas au journal télévisé. Tu veux trouver le nom de la cible ? Ça va prendre du temps.

— Ça serait peut-être plus facile si on connaissait le nom des Russes.

— Ah, fit Maurice en se grattant la barbe. Tu as raison. Il faut toujours aller de fil en aiguille. Tu veux que je…

Flo eut un grand sourire.

— Je vois ton petit bonus grossir d'un instant à l'autre.

Maurice finit son whisky et se leva.

— Messieurs, c'est toujours un plaisir. Je reviendrai vous voir.

# 15.

La première interview de Vronsky, au cours de laquelle Philippe avait eu recours aux plus basses flatteries, d'ordinaire réservées aux politiciens peu sûrs d'eux, s'était bien passée. Quand ce fut terminé, Vronsky paraissait détendu, très à l'aise et, Philippe l'espérait, plus enclin à laisser échapper une ou deux indiscrétions. Pour ce second rendez-vous, Vronsky avait même accepté de quitter le cocon flottant du *Caspian Queen* pour retrouver Philippe à déjeuner chez Peron, en demandant seulement qu'on réserve une table séparée pour Nikki, son garde du corps omniprésent.

Le déjeuner commença par une réaction de Vronsky qui augurait bien de la tournure de l'interview. C'était la première fois qu'il venait chez Peron et il fut ravi de la large vue sur la mer qui mettait en valeur le *Caspian Queen* ancré à cinq cents mètres de là.

— Vous voyez ? dit-il en désignant du menton le yacht. Il me suit comme un chien fidèle.

Philippe sourit et servit le vin.

— Je me disais, commença-t-il, que vous avez eu une vie fascinante, à voyager dans le monde entier, à gagner des millions – pardonnez-moi, des milliards –, et que ce serait vraiment dommage de chercher à condenser en un unique article tout ce que vous avez accompli. Il faut absolument développer le sujet.

Vronsky haussa les sourcils.

— Vous pensez à quelque chose ?

— Absolument. J'aimerais écrire votre biographie.

Philippe s'attendait à une réaction – une crise de fausse modestie, peut-être, ou une bouffée de fierté habilement déguisée –, mais, sans dire un mot, Vronsky réfléchit. Comme beaucoup de gens riches qui ont réussi, il était rongé par l'impression qu'il lui manquait quelque chose, qu'il n'en avait jamais assez. La considération, la renommée ou la célébrité, quel que fût le nom qu'on lui donnait, voilà qui confirmerait que lui, Oleg Vronsky, était un être exceptionnel. Et une biographie flatteuse y contribuerait sans aucun doute. Naturellement donc, Vronsky trouva l'idée séduisante.

— J'ai fait quelques recherches, dit Philippe, et c'est une histoire formidable, une ascension fulgurante : des débuts modestes, une vie pleine de risques et d'aventures en Afrique et au Brésil, une fracassante réussite – les lecteurs adoreront. (Il s'interrompit en secouant la tête.) Pardonnez-moi, je sais que nous sommes ici pour travailler sur l'interview. Mais cette idée de biographie me motive vraiment. Voudriez-vous y réfléchir ?

La graine semée, Philippe revint à ses notes et le feu des questions reprit. Il commença en douceur : Vronsky aimait-il la France ? Quelle serait sa prochaine étape après Marseille ? Jouait-il au golf ? Où descendait-il quand il allait à Londres ou à Paris ? Passait-il beaucoup de temps sur la Riviera ?

Cela amena tout naturellement la question suivante :

— Il paraît que des douzaines de Russes se sont installés dans le midi de la France. En connaissez-vous beaucoup ?

— Quelques-uns, répondit Vronsky, mais pas ici. C'est trop calme pour eux dans cette région : pas assez de fêtes. Ils préfèrent la Riviera. Le cap d'Antibes, par exemple. J'y suis allé il y a peu de temps, c'est en train de devenir un faubourg de Moscou.

Le déjeuner se poursuivit, le vin coulant à flot, et Vronsky reconnut qu'il n'avait guère de temps à consacrer à ses compatriotes.

— Des paysans pour la plupart, des paysans

qui ont tiré le bon numéro : bruyants, vulgaires et incultes.

Philippe, qui trouvait ces protestations un peu trop forcées, n'était pas vraiment convaincu. Il se rappela de creuser le sujet de la fréquentation russe sur la Côte.

Comme le déjeuner touchait à sa fin, Philippe déclara avoir assez de matériau pour commencer à écrire et promit de trouver un photographe qui viendrait faire des photos du grand homme à bord de son yacht et peut-être au volant de sa Bentley. Ils se séparèrent dans les meilleurs termes, chacun estimant que la rencontre avait été plus que satisfaisante.

Nino Zonza connaissait un rare moment d'indécision. Lui, un homme qui d'ordinaire se décidait sans tarder, se trouvait partagé entre le marché lucratif qu'il avait conclu avec les Oblomov et son instinct qui le poussait tout naturellement à prendre le parti des Figatelli, de bons Corses comme lui.

Pour ajouter à ses difficultés, il fallait résoudre le problème des perdants. S'il se décidait en faveur des Figatelli, les Oblomov ne manqueraient pas de chercher à se venger. Et s'il prenait le parti des Oblomov ? Calvi est une petite ville où les secrets en restent rarement. Les Figatelli découvriraient certainement qu'il s'était rangé du côté adverse et ils seraient forcément contrariés. Et quoi de plus dangereux qu'avoir à sa porte un Corse contrarié ?

En fin de compte, ce fut cette considération qui l'aida à trouver une solution satisfaisante : confier le problème aux vainqueurs et les laisser prendre soin des perdants. Voilà. Une excellente décision. Il appela son chauffeur et lui donna un mot hâtivement griffonné à porter au bar des Figatelli, rue de la Place.

On fixa la rencontre au lendemain soir. Comme précédemment, un chauffeur muet vint prendre les Figatelli près de la Citadelle pour les déposer chez Zonza. Mais cette fois, le vieil homme se montra plus hospitalier : quand ses hôtes arrivèrent, un plateau avec trois verres et une bouteille de liqueur de *myrte* trônait sur une table basse devant son fauteuil. Il fit signe aux deux frères de s'asseoir en face de lui.

— Comme je l'ai écrit sur mon mot, dit-il, certaines informations qui me sont parvenues pourraient vous intéresser. Je vais vous donner quelques précisions, mais d'abord – un grand sourire éclaira sa bouche édentée –, vous aimeriez peut-être un rafraîchissement.

Il emplit les trois verres, tenant la bouteille à deux mains pour compenser les tremblements dus à l'âge. Puis il leva son verre.

— À vous, chers compatriotes.

Ils burent une gorgée de liqueur. Zonza se tamponna les lèvres avec un mouchoir de soie, se carra dans son fauteuil et commença à parler.

Le coup de téléphone arriva plus tard ce soir-là, alors que Reboul sortait de sa douche. Le temps de terminer la conversation, il était sec. Il s'habilla rapidement et rejoignit Sam et Elena en train de prendre un verre de vin avant le dîner. Sans s'arrêter, il alla jusqu'au bar et se versa un grand verre de cognac.

— Francis, tu as l'air d'avoir vu un fantôme, dit Sam en venant lui tapoter l'épaule. Qu'est-ce qu'il y a ?

Reboul but une grande gorgée de cognac avant de répondre et Sam remarqua que la main qui tenait le verre tremblait.

— Je viens d'avoir un coup de fil de Jo Figatelli à Calvi. (Encore une gorgée de cognac.) On a lancé un contrat sur moi.

— Quoi ?

— Jo dit que deux *voyous* – russes tous les deux – s'en chargent. Ça ne peut pas être une coïncidence ; ce doit être ce salaud de Vronsky. Il veut ma peau, j'en suis certain.

Elena et Sam regardèrent Reboul vider son verre et retourner s'en verser un autre.

— Tu es sûr que c'est vrai ? demanda Sam. Ce n'est pas une rumeur entendue dans un bar ?

Reboul secoua la tête.

— Jo est plus malin que ça. D'ailleurs, il tient ça d'une vieille canaille du nom de Zonza qui contrôle presque tout le milieu de Calvi. Il a été contacté par ces deux Russes, les Oblomov, qui cherchent de l'aide locale pour les aider à remplir le contrat. Ils ont promis à Zonza un paquet d'argent pour qu'il leur trouve deux types fiables – des Corses, manifestement – qui les aideraient à monter le coup. Chose facile, mais il y a une complication : l'affaire doit se passer en Corse et non sur le continent, c'est une des conditions du marché.

— Pourquoi ? demanda Elena, et brusquement elle réalisa. Je comprends. Si c'est Vronsky, il n'aura pas mis les pieds en Corse au moment où ça se passera. C'est son alibi habituel, non ? Il sera très loin, avec des témoins pour le prouver. Blanc comme neige, comme d'habitude.

Reboul commençait à se remettre du choc et maintenant la rage le gagnait.

— Que faire pour nous débarrasser de ce dingue ?

— Ma foi, dit Sam, sans preuve solide, inutile d'aller trouver la police. Jusqu'à maintenant, il s'est plutôt bien débrouillé pour ne laisser aucune trace. À part faire sauter son bateau ou soudoyer son garde du corps pour le balancer par-dessus bord, je ne vois pas comment en venir à bout. Mais nous allons trouver un moyen. Il y a toujours un moyen.

Vers la fin de la soirée, Sam suggéra une solution dont ils convinrent tous qu'elle offrait quelques possibilités.

— Ça n'est pas du tout cuit, dit-il. Mais si nous prenions les Oblomov la main dans le sac, cela nous donnerait un sérieux moyen de pression. Ils auraient le choix entre une balle dans la tête, la prison à perpétuité ou coopérer, ce qui pourrait les persuader de retourner leur veste, cracher le morceau à propos de Vronsky et le laisser confronté à une accusation de meurtre avec préméditation. Cela suffirait à le mettre à l'ombre pour un bout de temps, bien au chaud dans une prison marseillaise. Le gros problème, évidemment, c'est de les prendre la main dans le sac. Pour ce genre de piège, il faut un appât.

Sam s'interrompit et se tourna vers Reboul.

— Autrement dit, les Oblomov ont besoin de savoir que tu es en Corse avant de se mettre en mouvement.

Il se faisait tard et ce n'était pas une décision à prendre à la légère. Ils décidèrent que la nuit porterait conseil mais, avant de se coucher, Sam passa un bref coup de fil à Philippe.

Le lendemain matin, il faisait un temps gris et pluvieux, assez inhabituel à Marseille mais en parfait accord avec la sombre atmosphère du petit groupe en train de prendre son petit déjeuner en attendant Philippe.

Après une nuit où il n'avait guère dormi, Reboul avait l'air hagard, et il lui fallut plusieurs tasses de café et la sympathie de Sam et Elena pour lui remonter le moral.

Philippe arriva trempé et soucieux. Le coup de fil de Sam lui avait révélé l'essentiel des mauvaises nouvelles, sans les détails.

— Racontez-moi, fit-il, et Reboul lui répéta la conversation de la veille au soir, que Philippe, incrédule, écouta en secouant la tête.

— C'est dingue, dit-il. Êtes-vous sûr que c'est vrai ?

— Jo est un type bien. Il n'est pas du genre à s'effrayer facilement et n'invente pas d'histoires. Je lui fais confiance.

— Et vous croyez que Vronsky ferait ça juste parce que vous refusez de lui vendre votre maison ?

Reboul se pencha en avant, tapant du poing sur la table pour ponctuer ses propos.

— N'oubliez pas qu'il a un passé chargé. Son associé en Afrique, un partenaire en Russie, une relation d'affaires à New York – tous sont morts. C'est sa méthode pour écarter les gens qui se mettent sur son chemin. Vronsky est un électron libre, il s'imagine pouvoir faire ce qu'il veut. Et jusque-là, il a toujours eu raison. Pourquoi serait-ce différent cette fois-ci ? Alors, oui, je fais confiance à Jo.

Le silence régnait autour de la table, puis Reboul se leva et se mit à marcher de long en large.

— J'en ai assez, dit-il. Je n'ai jamais de ma vie refusé d'affronter les problèmes et ce n'est pas maintenant que je vais commencer. (Il s'arrêta devant Sam.) Appelle Jo et mets sur pied un plan avec lui. Je pars pour la Corse.

# 16.

Assis à l'entrée de leur bar, les frères Figatelli consultaient leur montre tandis que le défilé des touristes arpentait la rue de la Place. Dans la petite salle derrière le comptoir qui faisait office de bureau, on avait débouché une bouteille de Clos Capitoro, un excellent rouge de Porticcio, qu'on laissait décanter. Sam avait téléphoné de Sainte-Catherine, l'aéroport local où il venait d'atterrir. Il était en route et les Figatelli l'attendaient avec impatience. D'expérience, ils savaient qu'on ne s'ennuyait jamais quand Sam avait une idée derrière la tête.

Un taxi s'arrêta devant le bar et les Figatelli se postèrent de chaque côté de l'entrée. Les salutations dont ils se fendirent quand Sam descendit du taxi se transformèrent en joyeuses embrassades avant même qu'ils ne passent devant le comptoir pour entrer dans leur bureau.

— Alors, mes amis, dit Sam, c'est comme au bon vieux temps ! Qui commence, vous ou moi ? (Il accepta le verre de vin que lui offrait Flo et but une gorgée d'un air pensif.) Humm. Je pourrais m'y faire.

— Je l'ai fait moi-même, dit Flo. Nous avons des nouvelles, mais si tu commençais ? Comment va Francis ?

— Il va bien, mais ne décolère pas contre Vronsky. Il tient absolument à venir en Corse et s'est même trouvé un prétexte. Saviez-vous qu'il a une tante qui vit ici ? Elle possède une maison dans un village qui s'appelle Speloncato. Il a inventé qu'elle allait se faire opérer et qu'il tenait à s'assurer que tout se passerait bien. Je ne suis pas ravi de le savoir ici, mais nous discuterons de ça plus tard. S'il vient vraiment, il faudra trouver un moyen pour qu'il ne lui arrive rien.

— Voici un détail qui pourrait être utile, dit Jo. Quand nous étions avec Zonza, nous lui avons demandé les noms des types qu'il avait en vue pour donner un coup de main aux Oblomov. Ce sont des gars du coin et nous avons des copains qui les connaissent. Il y a donc deux possibilités intéressantes. (Il s'interrompit pour remplir leurs verres.) D'abord, on pourrait persuader ces deux loustics de changer de camp et nous dire ce que les Oblomov veulent faire de Francis – comment et à quel moment ils comptent faire leur coup. Ensuite, si nous obtenons ce renseignement, nous pourrions alors tendre un traquenard aux Oblomov avant qu'ils fassent quoi que ce soit de dangereux.

— C'est formidable et ça peut certainement aider, dit Sam, mais n'oubliez pas qu'il s'agit surtout de coincer Vronsky. Il nous faut prouver que c'est lui qui a manigancé l'affaire. Nous avons besoin d'aveux des Oblomov.

La discussion continua le temps de faire un sort à la bouteille de vin, puis se prolongea pendant tout le dîner. Avant que Sam ne reparte le lendemain matin, ils s'étaient mis d'accord sur un plan. Un dernier point restait à régler : la façon de faire savoir aux Oblomov, sans éveiller leurs soupçons, quand et où Reboul viendrait. Les Figatelli étaient convaincus qu'on pourrait utiliser Zonza pour transmettre cette information.

Sam passa en revue les détails du plan durant les cinquante-cinq minutes de vol jusqu'à Marseille. Il était content de son déplacement.

La patience n'avait jamais été une des qualités de Vronsky et, maintenant que la décision de se débarrasser de Reboul était prise, il avait hâte de voir les choses progresser. Les coups de fil réguliers – toujours le soir – d'un des Oblomov avaient fini par le décevoir. Ces discussions quotidiennes tournaient toujours autour du même problème : comment faire venir Reboul en Corse. On avait échafaudé de nombreux plans pour finir par les rejeter les uns après les autres. Tout cela était bien frustrant.

Aussi, quand Sasha Oblomov rompit ses habitudes et téléphona un matin, Vronsky eut le sentiment que la chance était enfin au rendez-vous.

— Vous avez des nouvelles ? demanda-t-il.

— D'excellentes, dit Oblomov. Mon contact à Calvi vient de m'annoncer que Reboul passera deux ou trois jours en Corse la semaine prochaine. Il a une vieille tante qu'il veut voir. Et, coïncidence intéressante : elle habite Speloncato, un village pas trop loin de Calvi, dans un coin absolument perdu. Ça me semble parfait. Nous pouvons le coincer quand il arrivera ou quand il partira.

— C'est parfait. Appelez-moi quand vous aurez mis votre plan au point.

De fort bonne humeur, Vronsky appela Philippe pour lui expliquer qu'il devrait remettre la séance photo prévue pour la semaine prochaine. Des affaires urgentes exigeaient sa présence à Paris. Naturellement, Philippe se montra des plus compréhensifs et lui souhaita bon voyage. Il ne restait plus à Vronsky qu'à demander à sa secrétaire de réserver sa suite habituelle au Bristol, et il aurait son alibi.

Son expérience de journaliste avait appris à Philippe à se méfier des faux-fuyants de dernière minute pour éviter une interview. Flairant quelque chose de louche, il appela Sam.

— Ça m'est déjà arrivé, dit Philippe. En général avec des politiciens qui viennent de se faire pincer dans une situation embarrassante et qui n'ont pas envie que tout le monde en parle. Mais, là, je ne sais pas.

— Moi, si, dit Sam. Ça veut dire qu'il s'apprête à faire un coup. Peux-tu te libérer un peu plus tôt pour qu'on en parle à Francis ?

Lorsque Philippe arriva en fin d'après-midi, il trouva Reboul en train d'ouvrir une bouteille de champagne, étonnamment détendu pour un homme dont la vie était menacée. Puis ils se mirent tous trois à l'ouvrage.

— Tout ira bien, dit-il. Je vous ai vous deux, j'ai les Figatelli avec tous leurs contacts et, point important, nous avons de l'avance sur eux. Nous savons ce qu'ils vont essayer de faire avant qu'ils ne bougent le petit doigt. Le fait que Vronsky file à Paris prouve qu'il a tout arrangé. (Il leva sa coupe.) Alors, souhaitons-lui *bon voyage* !

Sam avait des projets pour Reboul, mais ça pouvait attendre : il ne voulait surtout pas entamer l'optimisme de son ami. Ils passèrent une agréable demi-heure avant que Philippe ne parte en reportage assister à un cocktail donné pour célébrer l'ouverture de la nouvelle succursale d'une banque locale.

— Du vin blanc tiède et de grandes claques dans le dos, dit-il. Mais il faut bien que quelqú'un se dévoue, car ce sont des annonceurs réguliers du journal.

Il soupira, finit son champagne avec un coup d'œil sur ce qui restait dans la bouteille et partit.


— Je crois que je devrais venir aussi.

— Certainement pas.

Elena et Sam se préparaient tranquillement dans leur suite avant d'aller rejoindre Reboul pour dîner. Elena suggérait d'accompagner Sam et Reboul en Corse, une idée qui ne plaisait absolument pas à Sam.

— C'est trop dangereux.

— Allons donc. Il y aura toi, Francis, les frères Figatelli et la moitié du milieu corse pour me protéger. D'ailleurs, je pense que Francis a besoin du soutien d'une femme. Et puis cela me ferait plaisir de venir.

— Pas question.

La discussion se poursuivit jusqu'au moment où Elena s'éclipsa dans la salle de bains pour réapparaître vêtue d'un ensemble de soie arachnéen qui faisait magnifiquement office de dessous.

— Comment se fait-il, demanda Sam, que tu te déshabilles chaque fois que la conversation ne va pas dans ton sens ? Serait-ce une coïncidence ?

— Ce n'est pas une coïncidence, mon chou. C'est une tactique. Avance un peu par ici.

La discussion fut remise à plus tard.

Ils descendirent dîner légèrement en retard et les joues un peu rouges pour trouver Reboul d'excellente humeur. Il s'arrangeait fort bien de la situation, convaincu que Sam et les Figatelli pourraient la maîtriser. Il trouvait même ce parfum de danger plutôt excitant. Devait-il prendre une arme ? demanda-t-il à Sam. Ou porter un gilet pare-balles ?

Sam reconnut là la réaction typique d'un néophyte. Une prise de risque s'accompagne souvent d'une brusque prise de conscience, d'une montée d'adrénaline. Pour faire plaisir à Reboul, Sam décida donc de lui donner quelques conseils.

— Premièrement, dit-il, ne tire pas avant de voir le blanc de leurs yeux. Deuxièmement, si tu as besoin de t'aventurer dans ce qui pourrait être une zone dangereuse, envoie d'abord ton chauffeur en éclaireur. Troisièmement, ne réponds jamais au téléphone quand quelqu'un pointe une arme sur toi.

Reboul secoua la tête en riant.

— OK, OK. Je me renseignais, c'est tout.

Pendant le dîner, on parla naturellement de Vronsky, car il leur restait encore à l'impliquer avec certitude s'ils voulaient établir sa culpabilité et le jeter en prison.

— Savons-nous où il descend à Paris? demanda Reboul.

— Bonne question, répondit Sam. Je vais demander à Philippe de se renseigner. Il peut dire qu'il aura besoin de le contacter pour fixer une nouvelle date pour la séance photo. Et, à propos de Paris, est-ce que Hervé, ton copain de la police, n'a pas de bons contacts là-bas? On pourrait avoir besoin de persuader Vronsky de ne pas quitter la France.

— Bien sûr. J'appellerai Hervé dès demain.

Elena savait bien que Sam n'avait pas l'intention de faire courir de risques à Reboul, mais la curiosité l'emporta.

— Ces deux crapules de Russes, les Oblomov – pourquoi accepteraient-ils de dénoncer Vronsky?

— J'y réfléchis, répondit Sam. Nous avons eu une idée qui pourrait résoudre le problème, mais je suis superstitieux. Je ne veux pas en parler avant qu'elle soit au point.

Les Figatelli étaient justement en train de mettre à exécution une partie de la stratégie qu'ils avaient établie avec lui durant leur rencontre dans l'arrière-salle du bar. De nouveau, les deux frères rendaient visite à Nino Zonza.

Après avoir bu l'obligatoire verre de *myrte* et s'être répandu en compliments, Jo Figatelli entama la conversation en posant une question dont il connaissait déjà la réponse. Mais il avait besoin d'une confirmation.

— Dites-moi, monsieur Nino, ces deux hommes que vous avez si rapidement trouvés pour travailler avec les Oblomov, ils sont du pays ?

Zonza acquiesça d'un signe de tête.

— Ce sont deux gars du pays. Très habiles mais très chers. J'ai été soufflé par leur prix. (Il haussa les épaules.) Mais la qualité, ça se paie.

Les Figatelli acquiescèrent à l'unisson.

— Évidemment, évidemment, renchérit Jo. Ont-ils déjà rencontré les Oblomov ?

— Pas encore. On les présentera demain, quand les Oblomov arriveront en Corse. Pourquoi demandes-tu ça ?

— Parce que nous voulons vous soumettre une proposition qui vous fera économiser de l'argent et nous facilitera la vie à tous.

Zonza se pencha en avant, l'agréable idée d'économiser son argent s'ajoutant à sa curiosité.

— Qu'est-ce que tu as à l'esprit ? (Il se permit une petite plaisanterie.) Rien d'illégal, j'espère ?

— Absolument pas. Juste un petit changement de personnel. Si vous annulez les gars, vous n'aurez pas à les payer.

— Et ?

— Embauchez-nous. On est libres.

Zonza haussa les sourcils et hocha la tête d'un air pensif.

— Messieurs, un autre verre de *myrte* ?

# 17.

C'était son premier matin à Paris et, bien
qu'il ne fût pas d'un naturel optimiste – aucun
Russe ne l'est, et ce pour de bonnes raisons –,
Vronsky commençait à se dire que les astres lui
étaient favorables.

Quel obstacle pourrait se dresser sur son
chemin ? Oblomov venait de l'informer que
son cousin et lui prendraient le vol Marseille-
Calvi du soir. Le lendemain matin, ils ren-
contreraient les deux hommes du pays recrutés
par Zonza et passeraient la journée avec eux
pour régler les détails de l'opération. Reboul
devait arriver le lendemain pour se rendre
chez sa tante à Speloncato, où il comptait
séjourner deux ou trois jours – largement le
temps de lui régler son affaire. Une fois de
plus, il se demanda ce qui pouvait mal tourner.
Il alluma un cigare pour fêter cette réussite
imminente et consulta sa montre. Il avait abandonné Natasha dans les boutiques de l'avenue
Montaigne qui semblaient exercer sur elle une

irrésistible attirance. Cependant, même une accro du shopping devait se nourrir, et Vronsky avait réservé une table au Récamier où le chef confectionnait de divins soufflés. La journée s'annonçait sous d'heureux auspices.

Pour Sam aussi, les événements avaient pris bonne tournure. Jo Figatelli l'avait appelé pour annoncer que Flo et lui s'étaient mis d'accord avec Zonza pour remplacer les deux malfrats prévus et que, dès le lendemain, ils devaient rencontrer les Oblomov. À la grande déception de Jo, Sam lui avait rappelé qu'il n'était pas question de noyer, de mutiler ni même de tabasser les deux Russes : l'essentiel était de les prendre sur le fait. Cela leur donnerait le moyen de pression nécessaire pour les persuader de dénoncer Vronsky. Sam et les Figatelli convinrent d'une ultime réunion à Calvi ce soir-là pour peaufiner les derniers détails.

Inutile de préciser que Sam avait fini par accepter qu'Elena vienne en Corse avec Reboul, mais à condition de prendre les précautions les plus strictes : aucune promenade dans les rues de la ville, pas de visite chez le coiffeur ni de flânerie sur la plage. Elle devait à chaque instant être accompagnée.

Sur le chemin de l'aéroport, Sam reçut un autre appel de Jo qui venait d'apprendre que les Oblomov prendraient le même vol que lui pour Calvi.

— Tu ne pourras pas les manquer, dit Jo. Zonza nous a signalé qu'ils étaient costauds et, selon lui, assez débraillés. Apparemment, ils ont l'air de deux ours ayant besoin d'un bon bain.

Lorsque Sam arriva à l'aéroport, ils attendaient devant le comptoir d'enregistrement : deux grands gaillards aux dents abîmées, en effet mal soignés et en treillis de camouflage. Un couple peu ragoûtant, qui marmonnait en russe. Leur conversation, manifestement confidentielle, se poursuivit pendant le décollage et durant tout le vol. Ils discutaient des mérites comparés d'armes à feu, de poignards, de garrots et d'instruments contondants que Zonza pouvait mettre sans problème à leur disposition. L'important réglage du timing restait à établir mais, puisque Reboul comptait faire un séjour de deux ou trois jours, cela leur donnait l'occasion de choisir le meilleur moment.

Six rangs derrière eux, Sam songeait aux jours qui allaient suivre et à la façon dont Reboul réagirait quand il se trouverait dans son rôle d'appât. Il ne doutait pas de sa bonne volonté ni de son courage, mais le danger – surtout quand on n'en a pas l'habitude – peut avoir des effets imprévisibles même sur les hommes les plus braves. Ce fut ce qui décida Sam à reconsidérer la stratégie qu'il avait brièvement élaborée deux ou trois jours plus tôt.

Mais il devait d'abord trouver la réponse à une question cruciale.

Une heure plus tard, de retour dans l'arrière-salle du bar des Figatelli, la solution lui vint à l'esprit.

— Tu en es certain ? dit Sam. Les Oblomov n'ont jamais rencontré Reboul ? Ils ne l'ont même jamais vu ?

— Non. Ils s'attendent à ce que les hommes recrutés par Zonza – c'est-à-dire Flo et moi – l'identifient lorsqu'il arrivera à l'aéroport. Et de lui ils n'ont vu que des images un peu floues sur Internet ou des coupures de journaux, ce qui ne les a pas renseignés sur sa taille ni sa stature.

— Bien, très bien, dit Sam. Maintenant, il va falloir nous procurer une voiture avec des vitres teintées, un chauffeur avec de grosses lunettes de soleil coiffé d'un panama à large bord. Ainsi, nous serons parés. Dès mon retour, je raconterai tout ça à Francis.

— Lui raconter quoi ?

— Désolé, j'aurais dû vous en parler. Je viens de décider de prendre la place de Francis un jour ou deux.

Après une demi-heure de discussion supplémentaire, ils quittèrent le bar pour se rendre dans un grand bâtiment de béton – grisâtre, anonyme, hérissé de gros barreaux et un peu en retrait de la rue. C'était à la fois le bureau et l'entrepôt du Comptoir de fournitures de

Benny, une entreprise spécialisée dans les armes et les accessoires allant des fusils d'assaut aux grenades magnétiques autodétonantes. Le propriétaire, un Allemand jovial au visage rond, les accueillit derrière la lourde porte d'acier.

— Bonsoir, les gars, dit-il en jetant à Sam un regard curieux. On part en chasse, hein ? Entrez, entrez.

Il les conduisit jusqu'à son bureau, qui aurait pu être celui d'un directeur de banque – épaisse moquette, belles gravures aux murs, tout inspirait confiance ici.

Schroeder les regardait en souriant derrière son bureau.

— Il y a bien longtemps que je vous ai vus, mes amis. Que puis-je faire pour vous ?

— Rien de bien compliqué, dit Flo. Mais on en a besoin rapidement : demain ou après-demain au plus tard.

— Nous allons descendre à la cave où vous pourrez voir ce que nous avons en stock. Mais d'abord, un petit schnaps. Je ne fais jamais d'affaires l'estomac vide, ajouta-t-il avec un rire.

Ils partaient de chez Benny avec un vieux sac en toile contenant leurs achats lorsque Sam s'arrêta soudain.

— Il y a là de quoi déclencher la Troisième Guerre mondiale. Benny n'a jamais eu d'ennuis avec les flics ?

Flo secoua la tête en souriant.

— Ce sont ses plus gros clients.

Le lendemain matin à dix heures précises, les Figatelli arrivèrent chez Nino Zonza pour leur première rencontre avec les Oblomov. On servit le café et les quatre hommes se dévisagèrent avec prudence. Zonza, toujours serviable, leur conseilla d'aller à Speloncato reconnaître les lieux avant l'arrivée de Reboul. Il leur remit un plan du village avec la maison de Mme Lombard entourée de rouge. Il leur signala aussi les célèbres grottes où, au cours des siècles, s'étaient commis toutes sortes de méfaits.

Zonza les écouta ensuite avec attention discuter de leurs plans pour la journée. Naturellement, une visite des lieux et une soigneuse reconnaissance des routes autour de Speloncato s'imposaient pour repérer des sites propices à une embuscade. Restait ensuite le problème de l'identification de Reboul. « Pas de souci, répondirent les Figatelli, nous vous le désignerons dès son arrivée à l'aéroport. » Enfin se posait la question primordiale des armes, car les Oblomov n'avaient voulu prendre aucun risque avec le contrôle de sécurité à l'aéroport. Ils savaient très précisément ce qu'ils voulaient : des armes de poing, si possible avec chargeur de dix balles, des Glock de préférence. Les Figatelli, se souvenant de la cave de Benny Schroeder avec son stock de Glock, purent une fois de plus affirmer qu'il n'y avait pas de problème. Les quatre hommes prirent donc congé de Zonza. La journée allait être bien remplie.

Sam ne comptait même plus le nombre d'allers et retours Marseille-Calvi qu'il avait effectués. Il revenait cette fois à Marseille voir Reboul pour mettre avec lui une dernière touche à leur plan. Il fut surpris et ravi de trouver Elena qui l'attendait à l'aéroport.

— J'allais prendre un taxi, dit-il en l'embrassant, mais impossible de trouver un chauffeur aussi agréable que toi.

— C'est vrai, mais je suis chère. Un gros pourboire, plus un dîner.

Ils montèrent dans la voiture. Au lieu de démarrer, Elena s'installa confortablement derrière le volant et croisa les bras.

— Bon. Nous n'irons nulle part tant que tu ne m'auras pas dit ce que tu fricotes.

— D'accord, fit Sam en soupirant. Mais j'aurai besoin que tu m'aides, car ça ne va pas être du gâteau. (Elena démarra et se glissa dans le flot de la circulation tandis que Sam poursuivait.) Plus je considère la situation, plus je suis certain que ce n'est pas la place d'un amateur et qu'il ne serait pas raisonnable de laisser Francis s'embarquer là-dedans. Trop de choses pourraient mal tourner.

Elena acquiesça de la tête et resta silencieuse.

— Alors, ce que je veux, c'est prendre sa place. J'ai tout mis au point avec Flo et Jo. Nous savons exactement comment procéder, tout ce qu'il nous reste à faire, c'est convaincre Francis. Et, pour ça, tu peux nous aider. (Il se pencha en lui tapotant la cuisse.) Il me semble que tu peux être très persuasive quand tu veux.

Elena prit un air soucieux ; des pensées contradictoires se bousculaient dans sa tête. Bien sûr, elle voulait voir Francis échapper aux Oblomov. Mais au prix de quels risques pour Sam ?

— Tu es vraiment sûr de ton coup ? fit-elle. Il n'y a aucune autre solution ? Tu sais, Sam, je te préfère en un seul morceau.

Le long monologue de Sam dura pratiquement le reste du trajet jusqu'à Marseille. Il évoqua les diverses stratégies, décrivit en détail le plan établi avec les Figatelli et comment les choses se dérouleraient. En arrivant au Pharo, il reconnut que tout cela lui plaisait beaucoup.

— Tu sais ce que c'est, dit-il. Les garçons aiment bien s'amuser.

Elena secouait encore la tête quand ils entrèrent dans la maison.

Alphonse, le cuisinier de Reboul, avait insisté pour que Reboul et ses hôtes dînent ce soir-là au Pharo. Un de ses amis, un important personnage dans le milieu de la poissonnerie, « *un véritable maître du poisson* », lui avait offert de superbes homards bretons, encore vivants et fleurant bon l'eau de mer. Et, bien entendu, expliqua Alphonse, ils devaient être cuits et consommés le jour même. Les faire attendre serait criminel.

Ils buvaient un verre de Sancerre sur la terrasse quand Sam décida que le moment était venu de parler à Reboul.

— Francis, ne le prends pas mal, mais je crois qu'il vaudrait mieux que ce soit moi qui aille en Corse à ta place. (Il marqua un temps pour jauger la réaction de Reboul : pas franchement encourageante.) Avant de me dire d'aller me faire voir, laisse-moi t'expliquer pourquoi. Ce n'est pas une question de courage, de force de caractère ni de ces foutaises sur le principe que tout homme doit faire ce qu'il a à faire. C'est une question de bon sens et d'expérience. Disons que, si tu avais une baignoire qui fuie, tu n'essaierais pas de la réparer toi-même : tu appellerais un plombier. Dans la situation présente, la baignoire qui fuit, c'est Vronsky, et moi je suis le plombier. J'ai des années d'expérience pour affronter ce genre de situation, pas toi. Je dispose avec Flo et Jo de deux assistants de première classe et je suis persuadé que le plan que nous avons élaboré marchera. Alors, je suggère de m'envoler demain à ta place pour la Corse. Les Figatelli me désigneront quand j'arriverai et, à partir de là, ce sera à nous de jouer. (Sam s'interrompit pour boire une gorgée de vin.) Et puis, je dois l'avouer… j'aime bien ce genre d'aventures. Alors, je t'en prie, dis oui et souhaite-moi bonne chance.

Il en fallut beaucoup plus pour convaincre Reboul, et ce n'est qu'au moment du café que, à court d'arguments, il se tourna vers Elena.

— Qu'en penses-tu ?

Elena haussa les épaules.

— Je crois que Sam a raison. Tu nous feras plaisir à tous en disant oui.

Reboul se leva, passa derrière la chaise de Sam et se pencha pour lui déposer un baiser sur le crâne.

— Un grand merci, Sam.


Les Figatelli avaient passé sept heures avec les Oblomov et leur journée n'était pas terminée puisque Zonza exigeait qu'ils lui fassent chaque jour leur rapport.

— Alors, comment vous sentez-vous avec vos nouveaux collègues ?

— Très bien, affirma Jo. Ils ont l'air de deux pros et posent les bonnes questions : notamment, comment nous allons surveiller les allées et venues de Reboul. Nous avons absolument besoin de connaître ses intentions avant d'organiser quelque chose.

— Bien sûr, fit Zonza. Qu'est-ce que tu leur as dit ?

Comme toujours quand il mentait, le visage de Jo rayonnait d'une innocence angélique.

— Je me suis brusquement souvenu que ma nièce travaille comme femme de chambre chez Mme Lombard.

— C'est pratique, dit Zonza.

— N'est-ce pas ? Elle pourra donc nous informer du moment précis où il quitte la maison et où il va, expliqua Jo.

— Parfait.

— Demain, nous testons l'équipement, et je suis certain que d'ici la fin de la journée, notre chère femme de chambre aura des nouvelles.

Zonza sourit en faisant étalage de ses dents en or.

— Donc jusqu'ici tout va bien. Continuez comme ça.

Les Figatelli partis, Zonza s'octroya quelques moments de satisfaction. Il était maintenant enchanté d'avoir changé de camp. Il avait toujours trouvé les Oblomov mal dégrossis et trop brutaux. En revanche, on pouvait compter sur les Figatelli pour garder un souvenir reconnaissant de sa coopération. Et, en Corse, les services rendus comme les rancunes, on se les rappelle longtemps. Et puis, il ne fallait pas non plus négliger l'aspect financier. Les

Oblomov avaient déjà versé cinquante pour cent d'honoraires substantiels qu'ils allaient perdre et les Figatelli avaient assuré à Zonza qu'il pouvait s'attendre à un beau geste de reconnaissance de la part de Reboul. Bref, l'affaire devenait extrêmement satisfaisante.

## 18.

— Voici ma tenue pour la Corse, déclara Sam. (Il se planta devant Elena, mains dans les poches, un panama à large bord sur la tête et le nez chaussé de très grosses lunettes de soleil aux verres sombres. Il portait une chemise bleu pâle et un pantalon blanc, l'uniforme du gentleman détendu dans le midi de la France.) L'idée, expliqua-t-il, c'est que les Oblomov puissent me reconnaître de loin, mais en même temps que je puisse dissimuler une grande partie de mon visage. Qu'en penses-tu ?

Elena l'inspecta avec toute l'attention que méritait sa tenue et eut un hochement de tête affirmatif.

— Ça ira, dit-elle. Mais promets-moi d'être prudent. Ne va pas jouer les héros, hein ? Maintenant, ôte ces foutues lunettes de soleil pour que je puisse te donner un baiser d'adieu.

Et ce fut en effet un long et sérieux baiser.

— Intéressant, dit Sam. J'ai droit à quoi si j'ôte mon chapeau ?

Ils descendirent rejoindre Reboul qui avait insisté pour les accompagner. Il se ferait passer, comme il le précisa, pour le garde du corps d'Elena quand Sam serait occupé ailleurs. Ils séjourneraient tous les deux à la Villa Prestige, une luxueuse résidence à quelques minutes de voiture du centre de Calvi.

Ils s'installèrent tous les trois à l'arrière de la voiture qui devait les conduire jusqu'à la zone réservée aux avions privés de l'aéroport de Marseille. Durant le trajet, Sam leur expliqua encore une fois ce qui devait se passer après leur atterrissage à Calvi. Elena et Reboul resteraient dans l'avion jusqu'à ce que Sam ait quitté l'aéroport. Une fois débarqué, il monterait dans la voiture qui l'attendrait comme l'avaient prévu les Figatelli : une grosse Peugeot, reconnaissable à ses vitres teintées. Elle le conduirait jusqu'à la maison de Mme Lombard à Speloncato, tandis qu'on emmènerait Reboul et Elena à la Villa Prestige.

Le vol – très court – jusqu'à Calvi se passa dans un silence un peu tendu. Elena serrait la main de Sam en regardant par le hublot. Ce dernier était concentré dans sa bulle, comme toujours avant une mission. Il repassa dans sa tête tous les détails des arrangements qu'il avait mis au point avec les Figatelli. En principe, estima-t-il, ils avaient envisagé toutes les possibilités, mais on ne peut jamais être sûr de rien. Quand on fait affaire avec des crapules, il peut arriver n'importe quoi ; et c'est justement cet élément de risque qui donne du piquant à l'entreprise. Sur cette note philosophique, il émergea de sa bulle, se pencha vers Elena et lui posa un baiser sur l'oreille.

L'appareil atterrit en douceur. Le temps qu'on ouvre la porte, la Peugeot traversait déjà le tarmac pour l'accueillir. Sam sortit de l'appareil, prenant son temps sur chaque marche de la passerelle, pour que tous ceux qui le guettaient du terminal le voient bien, puis il salua le chauffeur qui tenait ouverte la portière arrière. C'était un des plus vieux membres du clan Figatelli, l'oncle Doumé, un petit homme trapu au sourire un peu torve avec d'épais sourcils blancs. Il prit le sac de voyage de Sam et ils s'engagèrent sur la route qui serpentait jusqu'à Speloncato.

Dans le terminal, Sasha Oblomov reposa ses jumelles en grommelant.

— Je m'attendais à quelqu'un de plus âgé, dit-il aux Figatelli. Il fait plus jeune que sur les photos.

— Ah, répondit Flo, elles ont sans doute été prises avant son lifting – vous savez comment sont ces types bourrés de fric. Je pense qu'il va aller directement à Speloncato. Pas la peine de le suivre, à moins que vous en ayez envie.

Oblomov secoua la tête.

— Nous avons tout le temps. J'aimerais aller quelque part où on pourrait essayer les flingues.

Ils quittèrent l'aéroport pour s'enfoncer dans la campagne déserte de la Balagne. Ils se garèrent à l'ombre d'un chêne rabougri avant de poursuivre leur chemin à pied dans l'enchevêtrement du *maquis* jusqu'à une petite clairière. Jo déballa les armes, tendit un revolver à Sasha et en prit un qu'il leva en l'air avant de poursuivre ses explications.

— Je pense que vous aimerez ce Glock 23, dit-il. Léger, fiable, il est utilisé par la police dans toute l'Amérique. Le chargeur contient douze balles, la sécurité se trouve ici – il actionna le cran d'arrêt pour lui montrer –, et c'est à peu près tout ce que vous avez besoin de savoir. Oh, j'allais oublier. Ces revolvers sont neufs et sont arrivés en Corse la nuit dernière. Il faudra donc que je les porte ce soir chez un type que nous connaissons bien, pour qu'il lime les numéros de série. Une précaution que nous aimons prendre.

Les Oblomov approuvèrent d'un hochement de tête ce souci de discrétion qui sentait le professionnalisme.

On chargea les revolvers et on disposa les cibles : des canettes de bière achetées par les Figatelli. Les Oblomov commencèrent à tirer, d'abord lentement puis plus rapidement, à mesure qu'ils s'habituaient aux Glock. Il apparut tout de suite qu'ils avaient l'habitude des armes et qu'ils étaient de très bons tireurs. À mesure que les balles giclaient et que les boîtes de bière valsaient, la première impression de Flo se confirma : ces deux-là n'étaient pas des amateurs.

Les Oblomov, de leur côté, commençaient à manifester un certain enthousiasme : hochements de tête admiratifs, sourires ravis et échanges de grandes claques dans le dos. Une demi-douzaine de chargeurs plus tard, satisfaits, ils rendirent leur arsenal. Sans être à proprement parler chaleureuse, l'atmosphère entre les Oblomov et les Figatelli était devenue cordiale. Tous convinrent qu'ils avaient fait de gros progrès : la victime était identifiée et les armes excellentes. Il n'y avait plus maintenant qu'à repérer l'endroit idéal et la bonne occasion. Les Figatelli signalèrent qu'ils allaient consulter leur nièce sur les sorties de la victime pour les aider à choisir le bon moment.

Sam, que de brusques changements de direction – en bateau, en avion ou en voiture – mettaient toujours mal à l'aise, faisait de son mieux pour continuer à sourire tandis qu'au volant de la Peugeot oncle Doumé prenait des virages de plus en plus serrés, une main plaquée sur le klaxon. Speloncato, où Sam espérait arriver vivant, était situé à six cents mètres au-dessus du niveau de la mer et comptait, à en croire le dernier recensement, une population de deux cent quatre-vingts âmes. Les grottes étaient la principale curiosité dont s'enorgueillissat le village. Humides et ténébreuses, elles avaient été, d'après les guides touristiques, le théâtre de nombreux méfaits. Malheureusement, le lecteur avide de se cultiver se sentirait frustré, car aucun livre ne fournissait de détails sur ces tristes événements. Sam se consola en se disant que Mme Lombard, la tante de Reboul, ne manquerait certainement pas de combler cette lacune.

Après ce que Reboul lui en avait dit, Sam était impatient de faire la connaissance de cette vieille dame. Fille d'un diplomate qui avait été en poste en Angleterre, elle avait fait ses études à Roedean, un des collèges pour jeunes filles les plus cotés du pays, où elle avait appris à jouer au hockey sur gazon, qu'elle détestait, et à parler un anglais parfait avec cet accent délicatement traînant en usage dans la haute société. Elle avait maintenant dans les soixante-dix ans, ne s'était jamais mariée mais, à en croire Reboul, avait eu une assez jolie collection d'amants. Elle passait ses étés dans la vieille maison familiale de Speloncato, ses hivers à Gstaad et le reste de l'année à Paris.

Arrivé sur la place du village, oncle Doumé s'arrêta devant une demeure à trois étages de couleur ocre et annonça sa présence d'un dernier coup de klaxon triomphant. Presque aussitôt, la grande porte s'entrebâilla et une robuste jeune femme passa la tête, son visage s'éclairant quand elle reconnut oncle Doumé.

Il s'avança vers elle, en ouvrant grands les bras.

— Josette ! Toujours aussi belle !

Il lui donna trois baisers sur les joues – à gauche, à droite et encore à gauche – et recula pour présenter Sam.

— C'est M. Levitt, un ami de M. Reboul à Marseille. Mme Lombard l'attend.

Josette salua de la tête, serra la main de Sam et prit son sac de voyage.

— Madame est dans le *salon*. Par ici, je vous prie.

Elle leur fit traverser un hall carrelé et les invita à entrer dans une vaste pièce, meublée dans le style lourdement chargé d'une époque révolue : velours, acajou, brocards, tentures épaisses, portraits de famille dans des cadres dorés. Sam eut l'impression de se retrouver au début du XIX$^e$ siècle.

Mme Lombard leva les yeux de son secrétaire et, souriante, s'approcha de Sam en lui tendant une main fine sur laquelle il se courba pour poser un baiser.

— Mon Dieu ! s'exclama-t-elle. Vous pratiquez encore le baisemain en Amérique ?

Comme c'est charmant ! Allons... venez vous asseoir.

Il était difficile de croire qu'il s'agissait d'une septuagénaire. Certes, elle avait les cheveux gris, admirablement coiffés, mais un visage sans ride, des yeux bleus pétillants de vie et le corps svelte d'une jeune femme. Elle portait un corsage de soie noire avec une jupe crème qui mettait en valeur de fort jolies jambes. Sam se rendit soudain compte qu'il la reluquait.

— Eh bien, dit-elle, à quoi vous attendiez-vous ? À une vieille dame avec un pince-nez et une moustache ?

— Pardonnez-moi, je suis désolé. Simplement, je ne m'attendais pas... ma foi, à quelqu'un comme vous.

— Je prends cela comme un compliment, dit-elle avec un sourire. Voyons, Francis m'a dit très peu de choses sur vous sinon que vous êtes américain et que vous lui rendez un immense service. Naturellement, je brûle d'en savoir davantage. (De la main, elle désigna le seau à glace posé sur la table basse près d'eux.) Si vous nous serviez une coupe de champagne en me disant de quoi il s'agit ?

La conversation se prolongea jusqu'au soir. Tout d'abord, lorsque Sam décrivit Vronsky et évoqua ses projets, Mme Lombard écouta sans commentaire, l'air grave.

— Mais, dit-elle enfin, il n'est tout de même pas prêt à commanditer un meurtre juste pour se procurer une maison ?

— S'il faut en croire son passé, déclara Sam, je crains que si. Mais nous allons l'en empêcher.

Et, au cours de la demi-heure suivante, il lui expliqua précisément ce qu'il comptait faire avec l'aide des Figatelli.

Quand il eut terminé, elle se montra grandement soulagée, et davantage encore après une autre coupe de champagne. Comme la conversation se poursuivait, elle pria Sam de l'appeler Laura tandis qu'elle commençait à lui donner du « mon cher garçon ». Elle était sur le point de lui demander ce qu'elle pouvait faire pour les aider quand ils furent interrompus par un bruyant grattement à la porte.

— Ah, fit Laura en allant ouvrir le battant, j'espère que vous aimez les chiens. Je vous présente Alfred, l'homme de ma vie. Il est splendide, vous ne trouvez pas ?

C'était un gros chien noir au poil hirsute, un croisement, précisa Laura, de briard et de rottweiler. Il trotta jusqu'à Sam, l'inspecta, le flaira, posa sur son genou une patte massive et leva vers lui un regard débordant d'affection.

— Il vous aime bien, dit Laura. J'en suis vraiment contente. Il fait preuve d'un si bon jugement. J'avais un ami qu'Alfred détestait. Figurez-vous qu'il avait tout à fait raison. Cet homme s'est révélé être un abominable petit merdeux.

Sam se demandait comment libérer son genou de l'énorme patte sans vexer ce chien quand la cuisinière passa la tête par l'entrebâillement de la porte pour annoncer que le dîner était servi.

Entre des côtes d'agneau grillées à merveille, une salade, du fromage et une bouteille de Château Margaux – « je trouve les vins de pays un peu forts », expliqua Laura –, la conversation reprit un tour plus sérieux et elle renouvela son désir d'apporter son aide.

— Il y a deux choses, dit Sam. D'abord, j'ai besoin de trouver l'endroit idéal pour me tendre une embuscade, un coin naturellement à l'écart. Ensuite, il me faut un motif pour me promener au milieu de nulle part. Sinon, je crains que les Oblomov ne se doutent de quelque chose.

— Rien de plus facile, dit Laura. Je peux vous montrer exactement où aller et la raison pour laquelle vous iriez là-bas se trouve assis sur votre pied. Il vous aime vraiment beaucoup. Pourquoi ne le sortiriez-vous pas demain ?

Ils précisèrent quelques détails en prenant le café. Sam indiquerait à Jo l'heure et l'endroit où il promènerait le chien. Jo raconterait qu'il tenait ce renseignement de sa nièce et les deux frères s'arrangeraient pour se planquer non loin du chemin qu'emprunterait Sam. Après cela, dit Sam, tout serait réglé. À part les échanges de coups de feu.

# 19.

Après sa première nuit passée dans un lit à baldaquin, Sam fut réveillé par les rayons du soleil qui pénétraient dans la chambre. Il se sentait en pleine forme et agréablement tendu, comme toujours quand il approchait du point culminant d'une opération.

Un bon bain chaud dans une vénérable baignoire en fonte contribua à le détendre et il entama la tournée des coups de téléphone.

— Bonjour, ma chérie. Est-ce que tu te plais à Calvi, même si tu ne bénéficies pas du summum du confort ?

— Sam, c'est merveilleux. Piscine privée, cuisine formidable, et attends un peu de voir mon dressing : il est énorme. J'adore. J'ai failli m'y perdre.

Sam n'avait jamais entendu Elena tenir des propos aussi lyriques sur une penderie. D'habitude, elle se plaignait du manque d'espace.

— Dis-moi, comment va Francis ?

— Il va bien. Un peu nerveux, mais c'est normal. Il se fait du souci pour toi. Que fais-tu aujourd'hui ?

— Oh, j'explore la campagne pour trouver l'endroit où me tendre une embuscade, je mets tout au point avec Flo et Jo pour m'occuper des Russes… une journée typique dans la vie d'un homme d'affaires assez occupé.

Elena sentit dans la voix de Sam qu'il avait l'esprit ailleurs, aussi, après lui avoir recommandé une nouvelle fois de faire bien attention, elle mit fin à la conversation en soufflant un baiser dans le portable.

Sam descendit pour prendre un café et fut surpris de trouver son hôtesse déjà assise à la table de la salle à manger, à côté d'un croissant et d'un *café crème* et face à un ordinateur. C'était sa façon de se tenir au courant, expliqua-t-elle, puisqu'on ne trouvait de journal qu'à Calvi, c'est-à-dire à des kilomètres.

— Vous allez être content de moi, mon cher garçon, déclara-t-elle. Je crois savoir exactement où vous devriez vous mettre en embuscade. (Elle se mit à pianoter sur le clavier de son ordinateur.) Servez-vous une tasse de café et venez vous asseoir auprès de moi.

Elle tourna l'ordinateur pour que Sam voie mieux l'écran qui montrait une vue aérienne de bouquets d'arbres et de buissons.

— C'est le paysage typique de la campagne des environs de Speloncato, précisa-t-elle. Dans l'ensemble, ce n'est pas l'idéal, car il n'y a pas de sentiers et il serait impossible pour quelqu'un qui ne connaît pas cette zone de s'y retrouver. Mais ceci…, dit-elle en faisant défiler l'image sur l'écran, ceci est beaucoup plus intéressant. Il s'agit d'un réservoir, à environ neuf kilomètres de la route, que vous n'aurez aucun mal à repérer puisqu'il est entouré de *maquis* et d'oliveraies abandonnées où ces horribles Russes pourraient se cacher.

Sam se pencha pour regarder de plus près l'image qui occupait l'écran.

— N'est-ce pas un sentier, assez large d'ailleurs, qu'on aperçoit sur la gauche ?

Laura acquiesça.

— Il part de la route. Mais les seuls à l'emprunter, une fois tous les six mois au maximum, sont les hommes qui assurent l'entretien du réservoir. (Elle se cala sur sa chaise avec un sourire satisfait.) Eh bien, pensez-vous que cela fera l'affaire ?

— J'irai dès ce matin vérifier, mais ça m'a l'air parfait. Comment pourrais-je vous remercier ? Voyons, pensez-vous qu'un magnum de Dom Pérignon serait acceptable ?

Laura, toujours souriante, inclina la tête.

— Quelle charmante idée ! Un magnum a toujours un côté réconfortant, vous ne trouvez pas ?

Une demi-heure plus tard, Sam partait au volant d'une vieille Renault empruntée au jardinier. Suivant la route qui serpentait pour descendre du village, il arriva à l'entrée du chemin signalé par un panneau rouillé qui annonçait ACCÈS INTERDIT. Il gara la voiture dans l'herbe et continua à pied.

Partout où il portait son regard, il ne voyait qu'oliviers à l'abandon dans de minuscules clairières. Autant d'endroits parfaits pour se cacher et attendre. Le réservoir lui-même – une sinistre oasis à l'eau couverte d'insectes – était entouré d'un grillage flanqué, à son extrémité, d'un blockhaus en béton fermé à clef que Sam estima de peu d'intérêt pour des gens en embuscade. Il y avait sans doute des douzaines d'autres endroits plus appropriés. Cependant, ce lieu lui parut parfait : à la fois facile à trouver et suffisamment écarté pour qu'on ne risque pas d'entendre les coups de feu. Sam repéra une vieille souche sur laquelle il s'assit pour téléphoner à Jo Figatelli.

Ils se mirent d'accord et réglèrent les derniers détails en quelques minutes. Jo et Flo partiraient de Calvi en voiture dans le courant de la matinée pour se familiariser avec la zone du réservoir, puis ils appelleraient les Oblomov afin de leur suggérer une heure pour l'embuscade. Jo confirma qu'ils viendraient avec ce qu'il appela « tout l'équipement nécessaire ». Il recommanda à Sam de ne pas oublier de bien épousseter son gilet pare-balles et précisa qu'il rappellerait dans l'après-midi, après avoir parlé aux Oblomov.

Jo entendit un grognement pour toute réponse à son coup de téléphone. De quel Oblomov s'agissait-il ? Jo se lança au hasard.

— Sasha, c'est Jo Figatelli, j'ai de bonnes nouvelles. Ma nièce de Speloncato vient de m'appeler. Elle a entendu Reboul dire à Mme Lombard qu'il aimerait promener son chien ce soir. Il lui a demandé où aller et elle lui a recommandé le réservoir, à cinq minutes de voiture du village. Ça me paraît parfait. Nous partons inspecter les lieux. Je vous rappellerai plus tard. En attendant, qu'est-ce que vous pensez de l'heure ? Ce soir, ça vous irait ?

— Oui, dit Oblomov. Vous avez récupéré la marchandise ?

— Je l'aurai dans la matinée.

— Bon, fit le Russe avant de raccrocher.

Jo regarda son frère qui conduisait.

— La prochaine fois, c'est toi qui appelles. Peut-être qu'il sera moins bavard.

Ils se garèrent à l'entrée du chemin et continuèrent à pied vers le réservoir.

— C'est parfait, dit Flo, mais il faut qu'on trouve où cacher notre bagnole. Sam ne va pas venir à pied avec le chien depuis le village. Il sera en voiture et se garera au début du chemin ; si la nôtre est déjà là, les Oblomov croiront que nous avons vendu la mèche. Il doit bien exister un coin où les types de l'entretien se garent quand ils viennent inspecter le réservoir.

En fait, ils se dirigeaient tout droit vers un espace caché derrière le blockhaus qui devait servir de parking rudimentaire dont le béton craquelé luttait désespérément contre les mauvaises herbes.

— Bon, fit Jo, ça ira. Maintenant, il faut trouver un endroit où les Russes se planqueront et que Sam connaîtra.

Ils ne tardèrent pas à constater qu'ils n'avaient que l'embarras du choix. Ils découvrirent des clairières entre les bouquets d'arbres, des buissons hauts jusqu'à la ceinture et même d'étroits sentiers tracés par les chasseurs. Les Figatelli en suivirent un qui partait du parking et, au bout d'environ trois cents mètres, débouchèrent sur une petite clairière entourée d'épais bosquets. Ils convinrent qu'on ne pouvait trouver mieux. En revenant vers la route, Jo tomba sur un paquet de cigarettes tout froissé qu'il plaça à l'entrée du sentier choisi pour indiquer à Sam la bonne direction à suivre.

Il ne restait plus qu'à prendre les armes et à appeler Sam pour le prévenir. Ils auraient peut-être même le temps de déjeuner avant d'installer les Oblomov dans leur cachette.

Pour Sam, l'après-midi passa plus lentement. Il eut de longues conversations avec Elena, Reboul et Jo Figatelli et fut ravi d'être distrait par Laura qui insista pour lui montrer comment promener un chien. Alfred supporta sans entrain ces leçons qu'il connaissait déjà.

— Je vous conseille, expliqua Laura, de le tenir en laisse jusqu'à ce que vous ayez bien avancé sur le chemin. Vous ne voudriez pas le voir partir comme un fou à la poursuite d'un lapin. Tenez, il les adore et cela pourrait vous aider, dit-elle en donnant à Sam une demi-dou-zaine de biscuits en formes d'os qu'il fourra dans sa poche de pantalon.

Toujours aux aguets, Alfred s'approcha aus-sitôt et se mit à frotter son museau contre sa poche gonflée.

— Maintenant qu'il sait que vous les avez, il ne vous perdra plus de vue. C'est un gros gour-mand.

Enfin, l'heure arriva. Sam enfila le gilet pare-balles sous sa chemise, prit son chapeau et ses lunettes de soleil. Laura l'accompagna jusqu'à la voiture, veilla à ce qu'Alfred s'installe à la place du passager et se pencha par la vitre ouverte pour embrasser Sam sur la joue.

— Bonne chance, mon cher garçon, j'ai mis du champagne au frais pour votre retour.

Caché dans les buissons sur le côté de la route, Flo Figatelli vit la voiture de Sam se diriger vers le réservoir. Il appela son frère qui se précipita pour le rejoindre avec les Oblomov.

— Il est juste en haut du chemin, annonça Jo. Dans cinq minutes, il sera ici.

Les Oblomov acquiescèrent d'un hochement de tête et sortirent leur arme. L'affaire se présentait plus facilement qu'ils ne s'y attendaient. Ils s'accroupirent derrière leur buisson en s'assurant qu'aucune masse de feuillage ne viendrait gêner leur tir.

Arrivé au milieu du chemin, Sam détacha Alfred. Le chien se mit à fourrager dans les broussailles, ravi de découvrir de nouvelles odeurs, mais revenant toutes les quelques minutes pour s'assurer que Sam et sa précieuse provision de biscuits n'étaient pas trop loin. Ils arrivèrent au réservoir, trouvèrent le paquet de cigarettes et descendirent le sentier, Alfred en tête.

Sam avait l'esprit parfaitement clair, les sens en alerte, le regard fixé sur l'arrière-train d'Alfred. Il savait que le chien serait le premier à repérer le moindre signe d'une présence humaine dans les sous-bois. Quelque chose crissa sous son pied et, baissant les yeux, il aperçut quelques objets laissés par des chasseurs : des étuis de cartouches à demi piétinés et, un peu plus loin, une bouteille de pastis vide. C'est vrai que la chasse donne soif. Ils continuèrent à suivre le chemin sinueux et débouchèrent cinquante mètres plus loin sur une clairière.

Alfred s'immobilisa puis s'avança prudemment, la tête baissée, comme s'il avait déjà repéré quelque chose et qu'il en suivait la trace. Arrivé au bout du chemin, Sam ralentit. Alfred s'arrêta une nouvelle fois, le regard fixé sur des buissons à quelques mètres devant lui.

Les Oblomov, cachés derrière ce bosquet, hésitaient. Fallait-il tirer d'abord sur le chien ou sur l'homme ? Du doigt, l'aîné des Oblomov désigna l'homme. Ils étaient payés pour l'abattre ; le chien, ils pourraient s'en débarrasser plus tard. Ils visèrent et tirèrent.

Les deux coups de feu retentirent presque simultanément. Sam s'effondra, face au sol, Alfred gémissant près de lui. Les buissons s'écartèrent pour livrer passage aux Oblomov, arme au poing, qui ne se doutaient pas que les Figatelli étaient sur leurs talons, chacun armé d'un « dissuadeur corse », un gourdin avec une tête de plomb. Les Oblomov, leur attention concentrée sur le corps inerte de Sam, ne virent pas le coup arriver. Ils s'affalèrent sur-le-champ.

— Beau travail, les gars. (Sam s'assit en s'époussetant tout en s'efforçant d'éloigner Alfred qui lui léchait passionnément le visage.) Ouf ! Je n'aurais jamais cru que des balles à blanc allaient frapper aussi fort. Heureusement que j'avais ce gilet pare-balles. Bon, préparons-les maintenant pour le grand réveil.

Les Oblomov, toujours évanouis, se laissèrent rouler sur le sol tandis qu'on leur ligotait les mains derrière le dos. On déposa leur portable et leur arme dans des sacs en plastique en les prenant minutieusement avec un mouchoir pour ne pas effacer leurs empreintes. Flo ramassa son portable et composa un numéro.

— Tu peux venir maintenant, dit-il. Ils vont se réveiller d'ici deux minutes.

Les frères Oblomov avaient repris connaissance mais avaient encore l'œil vague quand la grosse Peugeot aux vitres teintées s'arrêta près du réservoir. Le chauffeur, un grand gaillard avec un nez cassé de boxeur, descendit pour ouvrir la portière arrière et oncle Doumé sortit de la voiture. Sam eut du mal à le reconnaître. Disparus les vieux vêtements de travail, le doux sourire et la barbe de trois jours. À en juger par son costume sombre et ses lunettes de soleil, c'était à n'en pas douter un personnage important qui arrivait. Il s'approcha à pas lents des Oblomov et se planta devant eux, les mains sur les hanches.

— Alors, dit-il, voilà les tueurs. (Il tourna la tête.) Claude... mon fauteuil.

Le chauffeur se précipita pour apporter un fauteuil de metteur en scène qu'il déplia et déposa devant les Oblomov.

Oncle Doumé s'y installa, tira de sa poche un cigare qu'il alluma avec soin.

— Vous vous êtes mis dans une situation difficile et périlleuse, déclara-t-il aux Oblomov. Vous avez tenté de tuer mon grand ami ici présent – il brandit son cigare en direction de Sam –, une tentative de meurtre que ses collègues et lui ont fait échouer. Ils en ont été les témoins et se feront un plaisir de tout raconter au tribunal. Preuve supplémentaire, les armes sont couvertes de vos empreintes digitales. Et vous êtes en Corse, où ce genre de comportement n'est pas toléré, particulièrement chez des étrangers.

Il marqua un temps et souffla un rond de fumée.

— Comme je le disais, une situation périlleuse en effet. Plusieurs options se présentent, certaines moins plaisantes que d'autres. La première, vous abattre et invoquer la légitime défense. (Les Oblomov commençaient à manifester des signes d'appréhension.) La seconde, vous faire comparaître pour tentative de meurtre devant un de mes amis juge, et je peux vous promettre qu'il vous infligerait une

189

condamnation sévère : trente ou quarante ans dans une prison corse. Enfin, la troisième, l'option la plus raisonnable : vous coopérez avec nous et, en récompense, vous n'auriez qu'une peine bien plus légère que vous pourriez purger en France, si vous préférez. Avez-vous des questions ?

Pas de réponse des Oblomov.

— Bon, je vais vous laisser avec mes collègues, mais je vous préviens : ce ne sont pas des gens patients.

Oncle Doumé regagna sa voiture. Claude replia le fauteuil de toile et le suivit.

Comme on pouvait s'y attendre, après une brève discussion, les Oblomov choisirent la troisième option. Jo Figatelli appela un de ses nombreux contacts au commissariat de Calvi et s'arrangea pour qu'on envoie un fourgon récupérer les Russes afin de les mettre sous les verrous en attendant leur interrogatoire.

— Nous les attendrons, dit Jo à Sam. Tu as fait ton boulot. Rentre à la maison prendre un verre.

Sam s'installa dans la voiture, donna un biscuit à Alfred pour fêter leur victoire et appela Elena.

— C'est fait et tout s'est passé comme prévu. Les Russes sont en route pour la prison.

Elena poussa un grand soupir de soulagement.

— Tu vas bien ?

— J'ai une légère crise de démangeaison causée par le gilet pare-balles, mais à part ça je vais bien. Je rentre chez Laura. Je te raconterai tout au dîner.

Autre long soupir.

— Sam, je me suis fait un tel souci.

— Ça va aller. La démangeaison disparaît en général au bout de deux ou trois jours.

La première chose que Sam aperçut en rentrant fut la grosse Peugeot garée devant la maison. La seconde, le comité d'accueil – oncle Doumé, Laura, Elena et Reboul attendaient devant la porte grande ouverte. Alfred bondit de la voiture, suivi de Sam qui serra Elena dans ses bras et sentit des larmes ruisseler sur ses joues. Reboul l'étreignit, lui donna de grandes tapes dans le dos et lui ébouriffa les cheveux. Lui aussi semblait sur le point d'éclater en sanglots. Il reçut un baiser parfumé de Laura, un sourire et un grognement d'oncle Doumé, et tous entrèrent dans la maison.

Reboul dansait presque de soulagement et d'excitation, Elena serrait si fort la main de Sam qu'il faillit lui demander de la lâcher avant qu'elle ne réussisse à la lui arracher. Laura et oncle Doumé hochaient la tête en souriant, ajoutant à cette joyeuse ambiance, et pénétrèrent dans le salon où tout le monde vint se rassembler autour d'un magnum de champagne dans son énorme seau à glace.

Tandis que Reboul débouchait la bouteille, Sam estima que le moment était venu d'apporter une petite dose de réalité.

— Je suis navré de vous dire ça, déclarat-il, mais ne crions pas encore victoire. Ce n'est pas terminé. Il faut encore nous occuper de Vronsky.

# 20.

Sam n'eut pas le temps d'étudier plus avant le problème Vronsky, car son portable sonna.

— Jo ? Où en sommes-nous ? Tous les deux ? Formidable. Ne les laisse surtout pas approcher d'un téléphone. Je crois que maintenant nous pouvons y aller. Je te rappelle plus tard.

Il raccrocha avec un large sourire.

— Bonne nouvelle. En échange de peines réduites, les deux Oblomov ont signé des aveux précisant qu'ils exécutaient pour le compte de Vronsky un contrat de tueurs à gage. Cela le rend complice d'une tentative de meurtre, et c'est ce que nous voulions. Voilà. Maintenant, je prendrais volontiers un verre.

Reboul le servit, Sam vida sa coupe. Jamais le champagne ne lui avait paru aussi bon.

— Moi aussi, dit Reboul, j'ai une nouvelle à vous annoncer. Vous connaissez mon ami Hervé ? Il a tout expliqué à son homologue à

Paris et les flics là-bas sont prêts à s'occuper de Vronsky sur un mot de ta part.

— Le plus tôt sera le mieux, dit Sam. Nous n'avons rien à gagner à attendre, et Vronsky va commencer à s'énerver quand il n'aura pas de nouvelles des Oblomov. Est-ce qu'Hervé travaille tard ? Pourrais-tu l'appeler maintenant ?

Cinq minutes plus tard, tout était réglé. La police devait arrêter Vronsky quand il quitterait le Bristol pour aller dîner. Il passerait la nuit en prison à Paris. Le lendemain, il serait transféré à Marseille pour être interrogé et inculpé. Hervé dit que, sur un mot chuchoté dans la bonne oreille, on pourrait même s'arranger pour que Vronsky soit envoyé purger sa peine en Guyane, sur la côte d'Amérique du Sud, où il ne ferait sans doute pas de vieux os.

— Maintenant, déclara Reboul, croyez-vous qu'il soit opportun de fêter notre victoire ? Car j'ai une proposition à vous faire : déjeuner au Pharo, peut-être après-demain, pour que mon chef ait le temps de tout préparer. Je me chargerai du transport de tout le monde de Calvi à Marseille. Qu'en dites-vous ? (Il regarda autour de lui les visages souriants de Laura, Doumé, Elena et Sam.) Et il ne faudra pas oublier les frères Figatelli.

Le lendemain matin, Sam, Elena et Reboul embarquèrent dans l'avion de ce dernier pour effectuer le saut de puce qui les ramènerait à

Marseille. Reboul exultait, et plus encore quand Hervé l'appela pour lui annoncer que Vronsky avait été arrêté comme prévu et qu'on le débarquerait à Marseille dans le courant de la journée. Il avait apparemment brandi devant tous ceux qui voulaient bien l'écouter la menace d'une cascade d'actions judiciaires pour arrestation abusive.

— Il peut rouspéter autant qu'il veut, dit Reboul, mais il ne sait rien encore des aveux signés. Sam, je ne voulais pas te poser tout de suite la question… Tu étais absolument certain que ces armes avaient été chargées avec des cartouches à blanc ?

— Bien entendu, répondit Sam. Les Figatelli savaient que s'ils faisaient une bourde, je reviendrais les hanter. Cela dit, sérieusement, ils ont été formidables. Ils ont rempli les chargeurs eux-mêmes et se sont débrouillés pour garder jusqu'à la dernière minute les armes hors de portée des Oblomov. Je ne me suis jamais inquiété sur ce point.

Une demi-heure plus tard, ils s'installaient dans la voiture, en route pour le Pharo. Dès leur arrivée, Reboul se rendit à la cuisine afin d'établir avec Alphonse le menu du grand déjeuner tandis qu'Elena et Sam descendaient à la piscine et s'allongeaient au soleil.

— Je n'arrive pas encore à croire que tout soit fini, dit Elena en se penchant pour embrasser Sam sur le bout du nez. Est-ce qu'on pourrait prendre des vacances maintenant ?

— Tu penses à quoi ?

— Rien d'extraordinaire. Tu sais, faire l'amour l'après-midi, dîner sous les étoiles, ce genre de choses. Nous pourrions visiter quelques appartements, explorer les *calanques*, passer un peu de temps avec Mimi et Philippe.

— Tout ce que tu veux, ma chérie, dès l'instant où je n'ai pas à porter un gilet pare-balles. Où est-il passé d'ailleurs ?

— Laura l'a récupéré et l'a mis dans le panier d'Alfred. Elle dit que ton odeur lui rappellera ta présence.

Sam songeait à ce compliment peu banal quand Reboul vint les rejoindre, une feuille de papier à la main et arborant un grand sourire.

— *Voilà*, dit-il en brandissant la feuille, Alphonse et moi nous sommes mis d'accord pour le menu de demain qui est éblouissant. Je ne lui gâcherai pas son plaisir en vous en donnant les détails – il tient à le faire lui-même –, mais je peux vous garantir que ce sera un repas mémorable, un véritable banquet. Et maintenant, il faut que j'aille à la cave choisir les vins. (Il s'interrompit et poussa un long soupir théâtral.) On n'en a jamais fini !

Le groupe qui embarquait dans l'avion de Reboul le lendemain matin offrait un intéressant contraste sur le plan vestimentaire.

Laura, très élégante en tailleur de soie grise ; oncle Doumé en chemise à fleurs et ample pantalon blanc ; les Figatelli en jeans avec leur T-shirt favori, noir et portant en lettres d'or la promesse réconfortante que ce qu'on ne perd pas au jeu à Vegas, on peut toujours le dépenser.

Le bref trajet jusqu'à Marseille donna à Laura, qui ne les avait jamais rencontrés, l'occasion de faire connaissance avec les Figatelli. Elle fut manifestement conquise et flirta sans vergogne. Ils lui rendirent la pareille et elle se prit au jeu, papillonnant des paupières avec entrain. Oncle Doumé était très occupé dans le cockpit où il prenait ses premières leçons de pilotage, si bien que quand l'appareil se posa, tout le monde était d'excellente humeur.

Le Pharo les attendait. Reboul, sur les conseils d'Elena promue décoratrice, avait transformé un coin de la terrasse en un havre de fraîcheur grâce à des parasols géants qui abritaient du soleil les fauteuils et la longue table dressée. Tout était blanc : les parasols, les fauteuils et les canapés, la nappe et les serviettes ainsi que les roses Iceberg qui débordaient d'énormes pots en terre cuite. Elena et Reboul, pour rester dans la note, s'étaient également habillés de blanc.

— Bravo, Francis, bravo, fit Laura en tapotant la joue de Reboul. C'est absolument merveilleux, on dirait une photo dans ce magazine – comment s'appelle-t-il déjà ? –, *Côté Sud*, je crois. Et maintenant, si quelqu'un m'offrait un doigt de cet excellent champagne que je vois sur la table, je suis certaine que je ne pourrais pas résister.

Reboul avait chargé Claudine, sa gouvernante, et Nanou, sa femme de chambre, de s'occuper des invités et, quand il constata que chacun avait une coupe, il se leva pour prononcer quelques mots de bienvenue.

— D'abord, laissez-moi vous dire combien je vous suis reconnaissant à tous de votre aide. Personne ne pourrait rêver d'amis plus fidèles et je n'oublierai jamais ce que vous avez fait. Ce déjeuner, c'est pour vous remercier, mais je veux vous dire aussi que, si jamais l'occasion se présente de rendre service à l'un de vous, il suffira de le demander. (Un peu ému, il marqua un temps et avala sa salive avant de poursuivre.) C'est un jour pour faire la fête, boire et être heureux. Jamais un bon repas n'a été autant mérité. Et maintenant, pour vous préparer à ce qui va suivre, le moment est venu d'accueillir Alphonse, le roi de la cuisine du Pharo et le créateur du menu d'aujourd'hui.

Le chef, qui attendait de faire son entrée devant la porte de la cuisine, s'avança, souriant et saluant les convives au passage.

Comme Elena le fit remarquer par la suite, Alphonse avait vraiment le physique du chef français classique : la rondeur, la jovialité, le long tablier de toile écrue, et non pas une de ces vestes blanches avec leurs initiales brodées tellement en vogue parmi les chefs amateurs d'esbroufe. Il traversa la terrasse sous une volée d'applaudissements pour prendre place auprès de Reboul et s'éclaircit la voix.

— Comme vous le verrez, je vous ai préparé un déjeuner tout simple avec une ou deux touches de cuisine corse, en honneur à nos amis de Calvi. (En souriant, il salua de la tête les Figatelli et oncle Doumé.) D'abord, des *coquilles Saint-Jacques* pour éveiller le palais, juste trois par personne, poêlées à la ciboulette et accompagnées d'une compotée de pois nouveaux et de fèves assaisonnées d'un filet d'huile d'olive et d'une pincée de sel de Camargue.

Il prit une gorgée de la coupe de champagne que lui tendait Reboul avant de passer au plat suivant.

— Nous resterons avec les saints et, l'appétit maintenant aiguisé, nous aurons un *filet de Saint-Pierre* avec des pointes d'asperge et une émulsion de citron faite maison avec les eurekas les plus parfumés cueillis sur les meilleurs citronniers de Corse. (Nouveau salut de la tête vers les Figatelli.)

« Pour suivre, une croupe de veau corse braisée avec une *fricassée* de pommes de terre nouvelles et de carottes au *jus* de sarriette. Cela nous mettra en appétit pour déguster une sélection de fromages de chèvre et là, je dois l'avouer, je ne peux pas vous promettre que toutes les chèvres qui ont apporté leur contribution sont corses. Il y a trois fromages : l'un tendre et crémeux, un autre dur et fort et un *cendré*, c'est-à-dire enrobé d'une fine couche de cendres. La combinaison est subtile et délicieuse.

« Pour finir (il regarda Laura et s'inclina), je dois remercier Mme Lombard, qui m'a confié la recette de son sublime gâteau au chocolat. J'ai ajouté quelques cerises précoces dénoyautées et légèrement chauffées dans de la *myrte* corse jusqu'à ce que leur jus suinte, ainsi qu'un grand trait de crème fouettée. (Il promena sur l'assistance un regard souriant avant de prononcer la traditionnelle bénédiction du chef.) Et maintenant, *bon appétit* ! »

Une salve d'applaudissements le suivit jusqu'à la cuisine.

Elena se tourna vers Sam en secouant la tête.

— Si c'est un déjeuner tout simple, moi, je suis Bocuse. Il va falloir que tu me portes en sortant de table.

Reboul, debout près d'eux, fit semblant d'être choqué.

— Mais non, mais non, dit-il. Je reconnais que la liste des plats est longue, mais les portions sont modestes, juste une succession d'exquises bouchées. Après le déjeuner, vous

vous lèverez de table, prêts à faire un sprint le long du Vieux-Port. (Il pencha la tête avec un petit clin d'œil.) Ou peut-être une petite sieste.

— Enfin une idée sensée, dit Elena.

Un bon déjeuner est toujours un plaisir, mais un bon déjeuner en plein air avec des amis par une magnifique journée d'été, c'est une joie sans mélange. Le vin paraît plus fin, les plaisanteries plus drôles, les compliments plus raffinés, la chère plus exquise. Ainsi en était-il ce jour-là au Pharo. L'odyssée gastronomique des *coquilles Saint-Jacques* jusqu'au triomphal gâteau au chocolat dura trois bonnes heures, avec entre les plats des discours impromptus, pour la plupart destinés à lancer des invitations. Sam et Elena invitèrent tout le monde à Los Angeles ; les Figatelli proposèrent Calvi ; Laura de choisir entre Paris et Gstaad, et oncle Doumé les invita à voir le vignoble de sa famille à Patrimonio où, dit-il, le vin coulait même des robinets des salles de bains.

Reboul venait de se lever quand son portable sonna. En bout de table, il écoutait avec attention, souriant d'abord avant d'éclater de rire. La conversation terminée, il secoua la tête.

— Mes amis, dit-il, je peux vous promettre un spectacle peu courant. Suivez-moi.

Il entraîna le petit groupe au bord de la terrasse, attrapant au passage une paire de jumelles posée sur une table basse et se planta face à la mer.

— C'était Hervé qui m'appelait, expliqua-t-il. D'un instant à l'autre, nous devrions les voir doubler le cap.

Une minute s'écoula, puis deux, et ils aperçurent enfin, débouchant derrière la presqu'île, une vedette bleu marine. Elle paraissait minuscule auprès du *Caspian Queen* qui la suivait, son pavillon russe en berne. On se passa les jumelles, ce qui permit de distinguer quelques silhouettes en uniforme de la police nationale évoluant sur le pont principal.

— Ils sont en route pour le port, expliqua Reboul, où le yacht restera à quai pendant que – quels mots exacts Hervé a-t-il prononcés ? – « le propriétaire apportera son aide à la police dans son enquête ». Je ne pense donc pas que nous revoyions de sitôt le *Caspian Queen*.

— Arrosons ça, dit Sam. Champagne ?

DU MÊME AUTEUR

Une année en Provence
*NiL Éditions, 1994*
*et « Points », n° P252*

Provence toujours
*NiL Éditions, 1995*
*et « Points », n° P367*

Une année de luxe
*Hors Collection, 1995*

Hôtel Pastis
*NiL Éditions, 1996*
*et « Points », n° P506*

Une vie de chien
*NiL Éditions, 1997*
*et « Points », n° P608*

La Femme aux melons
*NiL Éditions, 1998*
*et « Points », n° P741*

La Provence à vol d'oiseau
*(photographies de Jason Hawkes)*
*Gründ, 1998*

Le Diamant noir
*NiL Éditions, 1999*
*et « Points », n° P852*

Le Bonheur en Provence
*NiL Éditions, 2000*
*et « Points », n° P985*

Aventures dans la France gourmande
*NiL Éditions, 2002*
*et « Points », n° P1085*

Et moi, d'où je viens ?
Les choses de la vie illustrées sans bêtises
*(illustrations de Arthur Robin)*
*Bourgois, 2002*

Un bon cru
*NiL Éditions, 2005*
*et « Points », n° P1531*

Confessions d'un boulanger
*(en collaboration avec Gérard Auzet)*
*« Points », n° P1532, 2006*

Dictionnaire amoureux de la Provence
*(illustrations de Daniel de Casanave)*
*Plon, 2006*

Château-l'Arnaque
*NiL Éditions, 2010*
*et « Points », n° P2638*

Embrouille en Provence
*NiL Éditions, 2013*
*et « Points », n° P3256*

Embrouille à Monaco
*NiL Éditions, 2017*

RÉALISATION : PAO ÉDITIONS DU SEUIL
IMPRESSION : MAURY IMPRIMEUR À MALESHERBES (45)
DÉPÔT LÉGAL : JUIN 2017 - N° 131877 (217874)
IMPRIMÉ EN FRANCE